FRIEDRICH SCHILLER

Wilhelm Tell

SCHAUSPIEL

D1413240

PHILIPP RECLAM JUN. STUTTGART

Der Text folgt: Friedrich Schiller. Sämtliche Werke. Säkular-Ausgabe in sechzehn Bänden. Siebenter Band. Herausgegeben von Oskar Walzel. Stuttgart/Berlin: Cotta, [1904]. Auch die Verszählung, die in den verschiedenen Editionen etwas differiert, entspricht dieser Vorlage, die sich wiederum am Zeilenfall des Erstdrucks (1804) orientiert hat. Die Orthographie wurde behutsam dem heutigen Stand angeglichen.

Erläuterungen und Dokumente zu Friedrich Schiller »Wilhelm Tell« liegen unter Nr. 8102 in Reclams Universal-Bibliothek vor.

Universal-Bibliothek Nr. 12
Alle Rechte vorbehalten. Gesamtherstellung: Reclam, Ditzingen
Printed in Germany 1989
RECLAM und UNIVERSAL-BIBLIOTHEK sind eingetragene
Warenzeichen der Philipp Reclam jun. GmbH & Co., Stuttgart
ISBN 3-15-000012-2

PERSONEN

Hermann Geßler, *Reichsvogt in Schwyz und Uri*

Werner, Freiherr von Attinghausen, *Bannerherr*

Ulrich von Rudenz, *sein Neffe*

Werner Stauffacher ⎫
Konrad Hunn ⎪
Itel Reding ⎪
Hans auf der Mauer ⎬ *Landleute aus Schwyz*
Jörg im Hofe ⎪
Ulrich der Schmied ⎪
Jost von Weiler ⎭

Walter Fürst ⎫
Wilhelm Tell ⎪
Rösselmann, *der Pfarrer* ⎪
Petermann, *der Sigrist* ⎬ *aus Uri*
Kuoni, *der Hirte* ⎪
Werni, *der Jäger* ⎪
Ruodi, *der Fischer* ⎭

Arnold vom Melchtal ⎫
Konrad Baumgarten ⎪
Meier von Sarnen ⎪
Struth von Winkelried ⎬ *aus Unterwalden*
Klaus von der Flüe ⎪
Burkhart am Bühel ⎪
Arnold von Sewa ⎭

Pfeifer von Luzern
Kunz von Gersau
Jenni, *Fischerknabe*
Seppi, *Hirtenknabe*

Gertrud, *Stauffachers Gattin*

Hedwig, *Tells Gattin, Fürsts Tochter*

Berta von Bruneck, *eine reiche Erbin*

Armgard
Mechthild
Elsbeth   } *Bäuerinnen*
Hildegard

Walter
Wilhelm   } *Tells Knaben*

Frießhart
Leuthold   } *Söldner*

Rudolf der Harras, *Geßlers Stallmeister*

Johannes Parricida, *Herzog von Schwaben*

Stüssi, *der Flurschütz*

Der Stier von Uri

Ein Reichsbote

Fronvogt

Meister Steinmetz, Gesellen und Handlanger

Öffentliche Ausrufer

Barmherzige Brüder

Geßlerische und Landenbergische Reiter

Viele Landleute, Männer und Weiber aus
  den Waldstätten

ERSTER AUFZUG

ERSTE SZENE

Hohes Felsenufer des Vierwaldstättensees, Schwyz gegen-
über.
Der See macht eine Bucht ins Land, eine Hütte ist unweit
dem Ufer, Fischerknabe fährt sich in einem Kahn. Über den
See hinweg sieht man die grünen Matten, Dörfer und Höfe
von Schwyz im hellen Sonnenschein liegen. Zur Linken des
Zuschauers zeigen sich die Spitzen des Haken, mit Wolken
umgeben; zur Rechten im fernen Hintergrund sieht man die
Eisgebirge. Noch ehe der Vorhang aufgeht, hört man den
Kuhreihen und das harmonische Geläut der Herdenglocken,
welches sich auch bei eröffneter Szene noch eine Zeitlang
fortsetzt.

Fischerknabe *(singt im Kahn).*
      (Melodie des Kuhreihens.)
  Es lächelt der See, er ladet zum Bade,
  Der Knabe schlief ein am grünen Gestade,
      Da hört er ein Klingen,
      Wie Flöten so süß,
      Wie Stimmen der Engel   5
      Im Paradies.
  Und wie er erwachet in seliger Lust,
  Da spülen die Wasser ihm um die Brust,
      Und es ruft aus den Tiefen:
      Lieb Knabe, bist *mein*!   10
      Ich locke den Schläfer,
      Ich zieh ihn herein.
Hirte *(auf dem Berge).*
      (Variation des Kuhreihens.)
      Ihr Matten, lebt wohl,
      Ihr sonnigen Weiden!
      Der Senne muß scheiden,
      Der Sommer ist hin.   15
  Wir fahren zu Berg, wir kommen wieder,

Wenn der Kuckuck ruft, wenn erwachen die Lieder,
Wenn mit Blumen die Erde sich kleidet neu,
Wenn die Brünnlein fließen im lieblichen Mai.   20
     Ihr Matten, lebt wohl,
     Ihr sonnigen Weiden!
     Der Senne muß scheiden,
     Der Sommer ist hin.

A l p e n j ä g e r *(erscheint gegenüber auf der Höhe des Felsens).*

          (Zweite Variation.)
Es donnern die Höhn, es zittert der Steg,   25
Nicht grauet dem Schützen auf schwindligtem Weg,
     Er schreitet verwegen
     Auf Feldern von Eis,
     Da pranget kein Frühling,
     Da grünet kein Reis;   30
Und unter den Füßen ein nebligtes Meer,
Erkennt er die Städte der Menschen nicht mehr,
     Durch den Riß nur der Wolken
     Erblickt er die Welt,
     Tief unter den Wassern   35
     Das grünende Feld.
(Die Landschaft verändert sich, man hört ein dumpfes Krachen von den Bergen, Schatten von Wolken laufen über die Gegend.

Ruodi der Fischer kommt aus der Hütte, Werni der Jäger steigt vom Felsen, Kuoni der Hirt kommt mit dem Melknapf auf der Schulter. Seppi, sein Handbube, folgt ihm.)
R u o d i. Mach hurtig, Jenni. Zieh die Naue ein.
Der graue Talvogt kommt, dumpf brüllt der Firn,
Der Mythenstein zieht seine Haube an,
Und kalt her bläst es aus dem Wetterloch;   40
Der Sturm, ich mein, wird da sein, eh' wir's denken.
K u o n i. 's kommt Regen, Fährmann. Meine Schafe fressen
Mit Begierde Gras, und Wächter scharrt die Erde.
W e r n i. Die Fische springen, und das Wasserhuhn
Taucht unter. Ein Gewitter ist im Anzug.   45
K u o n i *(zum Buben).*
Lug, Seppi, ob das Vieh sich nicht verlaufen.
S e p p i. Die braune Lisel kenn ich am Geläut.
K u o n i. So fehlt uns keine mehr, die geht am weitsten.

R u o d i. Ihr habt ein schön Geläute, Meister Hirt.
W e r n i.
    Und schmuckes Vieh – Ist's Euer eignes, Landsmann? 50
K u o n i. Bin nit so reich – 's ist meines gnäd'gen Herrn,
    Des Attinghäusers, und mir zugezählt.
R u o d i. Wie schön der Kuh das Band zu Halse steht!
K u o n i. Das weiß sie auch, daß sie den Reihen führt,
    Und nähm' ich ihr's, sie hörte auf, zu fressen. 55
R u o d i. Ihr seid nicht klug! Ein unvernünft'ges Vieh –
W e r n i. Ist bald gesagt. Das Tier hat auch Vernunft,
    Das wissen *wir*, die wir die Gemsen jagen:
    Die stellen klug, wo sie zur Weide gehn,
    'ne Vorhut aus, die spitzt das Ohr und warnet 60
    Mit heller Pfeife, wenn der Jäger naht.
R u o d i *(zum Hirten).*
    Treibt Ihr jetzt heim?
K u o n i.   Die Alp ist abgeweidet.
W e r n i. Glücksel'ge Heimkehr, Senn!
K u o n i.   Die wünsch ich Euch;
    Von Eurer Fahrt kehrt sich's nicht immer wieder.
R u o d i. Dort kommt ein Mann in voller Hast gelaufen. 65
W e r n i. Ich kenn ihn, 's ist der Baumgart von Alzellen.
    (Konrad Baumgarten atemlos hereinstürzend.)
B a u m g a r t e n.
    Um Gottes willen, Fährmann, Euren Kahn!
R u o d i. Nun, nun, was gibt's so eilig?
B a u m g a r t e n.   Bindet los!
    Ihr rettet mich vom Tode! Setzt mich über!
K u o n i. Landsmann, was habt Ihr?
W e r n i.   Wer verfolgt Euch denn? 70
B a u m g a r t e n *(zum Fischer).*
    Eilt, eilt, sie sind mir dicht schon an den Fersen!
    Des Landvogts Reiter kommen hinter mir,
    Ich bin ein Mann des Tods, wenn sie mich greifen.
R u o d i. Warum verfolgen Euch die Reisigen?
B a u m g a r t e n.
    Erst rettet mich, und dann steh ich Euch Rede. 75
W e r n i. Ihr seid mit Blut befleckt, was hat's gegeben?
B a u m g a r t e n.
    Des Kaisers Burgvogt, der auf Roßberg saß –
K u o n i. Der Wolfenschießen! Läßt Euch *der* verfolgen?

B a u m g a r t e n.
  Der schadet nicht mehr, ich hab ihn erschlagen.
A l l e *(fahren zurück).*
  Gott sei Euch gnädig! Was habt Ihr getan?   80
B a u m g a r t e n. Was jeder freie Mann an meinem Platz!
  Mein gutes Hausrecht hab ich ausgeübt
  Am Schänder meiner Ehr' und meines Weibes.
K u o n i. Hat Euch der Burgvogt an der Ehr' geschädigt?
B a u m g a r t e n.
  Daß er sein bös Gelüsten nicht vollbracht,   85
  Hat Gott und meine gute Axt verhütet.
W e r n i. Ihr habt ihm mit der Axt den Kopf zerspalten?
K u o n i. O laßt uns alles hören, Ihr habt Zeit,
  Bis er den Kahn vom Ufer losgebunden.
B a u m g a r t e n.
  Ich hatte Holz gefällt im Wald, da kommt   90
  Mein Weib gelaufen in der Angst des Todes:
  Der Burgvogt lieg' in meinem Haus, er hab'
  Ihr anbefohlen, ihm ein Bad zu rüsten.
  Drauf hab' er Ungebührliches von ihr
  Verlangt; sie sei entsprungen, mich zu suchen.   95
  Da lief ich frisch hinzu, so wie ich war,
  Und mit der Axt hab ich ihm 's Bad gesegnet.
W e r n i.
  Ihr tatet wohl, kein Mensch kann Euch drum schelten.
K u o n i. Der Wüterich! Der hat nun seinen Lohn!
  Hat's lang verdient ums Volk von Unterwalden.   100
B a u m g a r t e n.
  Die Tat ward ruchtbar, mir wird nachgesetzt –
  Indem wir sprechen – Gott – verrinnt die Zeit –
              (Es fängt an, zu donnern.)
K u o n i.
  Frisch, Fährmann – Schaff den Biedermann hinüber.
R u o d i. Geht nicht. Ein schweres Ungewitter ist
  Im Anzug. Ihr müßt warten.
B a u m g a r t e n.   Heil'ger Gott!   105
  Ich kann nicht warten. Jeder Aufschub tötet –
K u o n i *(zum Fischer).*
  Greif an mit Gott! Dem Nächsten muß man helfen,
  Es kann uns allen Gleiches ja begegnen.
              (Brausen und Donnern.)

R u o d i.
    Der Föhn ist los, Ihr seht, wie hoch der See geht,
    Ich kann nicht steuern gegen Sturm und Wellen.   110
B a u m g a r t e n *(umfaßt seine Knie).*
    So helf' Euch Gott, wie Ihr Euch mein erbarmet –
W e r n i. Es geht ums Leben, sei barmherzig, Fährmann.
K u o n i. 's ist ein Hausvater, und hat Weib und Kinder!
    (Wiederholte Donnerschläge.)
R u o d i. Was? Ich hab auch ein Leben zu verlieren,
    Hab Weib und Kind daheim, wie er – Seht hin,   115
    Wie's brandet, wie es wogt und Wirbel zieht
    Und alle Wasser aufrührt in der Tiefe.
    – Ich wollte gern den Biedermann erretten,
    Doch es ist rein unmöglich, Ihr seht selbst.
B a u m g a r t e n *(noch auf den Knien).*
    So muß ich fallen in des Feindes Hand,   120
    Das nahe Rettungsufer im Gesichte!
    – Dort liegt's! Ich kann's erreichen mit den Augen,
    Hinüberdringen kann der Stimme Schall,
    Da ist der Kahn, der mich hinübertrüge,
    Und muß hier liegen, hilflos, und verzagen!   125
K u o n i. Seht, wer da kommt!
W e r n i.   Es ist der Tell aus Bürglen.
    (Tell mit der Armbrust.)
T e l l. Wer ist der Mann, der hier um Hilfe fleht?
K u o n i. 's ist ein Alzeller Mann, er hat sein' Ehr'
    Verteidigt und den Wolfenschieß erschlagen,
    Des Königs Burgvogt, der auf Roßberg saß –   130
    Des Landvogts Reiter sind ihm auf den Fersen,
    Er fleht den Schiffer um die Überfahrt,
    Der fürcht't sich vor dem Sturm und will nicht fahren.
R u o d i. Da ist der Tell, er führt das Ruder auch,
    Der soll mir's zeugen, ob die Fahrt zu wagen.   135
T e l l. Wo's not tut, Fährmann, läßt sich alles wagen.
    (Heftige Donnerschläge, der See rauscht auf.)
R u o d i. Ich soll mich in den Höllenrachen stürzen?
    Das täte keiner, der bei Sinnen ist.
T e l l. Der brave Mann denkt an sich selbst zuletzt,
    Vertrau auf Gott und rette den Bedrängten.   140
R u o d i. Vom sichern Port läßt sich's gemächlich raten.
    Da ist der Kahn und dort der See! Versucht's!

Tell. Der See kann sich, der Landvogt nicht erbarmen,
  Versuch es, Fährmann!
Hirten und Jäger. Rett ihn! Rett ihn! Rett ihn!
Ruodi. Und wär's mein Bruder und mein leiblich Kind,   145
  Es kann nicht sein, 's ist heut Simons und Judä,
  Da rast der See und will sein Opfer haben.
Tell. Mit eitler Rede wird hier nichts geschafft,
  Die Stunde dringt, dem Mann muß Hilfe werden.
  Sprich, Fährmann, willst du fahren?
Ruodi.   Nein, nicht ich!   150
Tell. In Gottes Namen denn! Gib her den Kahn,
  Ich will's mit meiner schwachen Kraft versuchen.
Kuoni. Ha, wackrer Tell!
Werni.   Das gleicht dem Weidgesellen!
Baumgarten.
  Mein Retter seid Ihr und mein Engel, Tell!
Tell. Wohl aus des Vogts Gewalt errett ich Euch,   155
  Aus Sturmes Nöten muß ein andrer helfen.
  Doch besser ist's, Ihr fallt in Gottes Hand
  Als in der Menschen!
  (Zu dem Hirten.)   Landsmann, tröstet Ihr
  Mein Weib, wenn mir was Menschliches begegnet,
  Ich hab getan, was ich nicht lassen konnte.   160
  (Er springt in den Kahn.)
Kuoni *(zum Fischer).*
  Ihr seid ein Meister-Steuermann. Was sich
  Der Tell getraut, das konntet *Ihr* nicht wagen?
Ruodi. Wohl beßre Männer tun's dem Tell nicht nach,
  Es gibt nicht zwei, wie der ist, im Gebirge.
Werni *(ist auf den Fels gestiegen).*
  Er stößt schon ab. Gott helf' dir, braver Schwimmer!   165
  Sieh, wie das Schifflein auf den Wellen schwankt!
Kuoni *(am Ufer).*
  Die Flut geht drüber weg – Ich seh's nicht mehr.
  Doch halt, da ist es wieder! Kräftiglich
  Arbeitet sich der Wackre durch die Brandung.
Seppi. Des Landvogts Reiter kommen angesprengt.   170
Kuoni. Weiß Gott, sie sind's! das war Hilf' in der Not.
          (Ein Trupp Landenbergischer Reiter.)
Erster Reiter.
  Den Mörder gebt heraus, den ihr verborgen.

Z w e i t e r. *Des Wegs kam er, umsonst verhehlt ihr ihn.*
K u o n i und R u o d i.
  Wen meint ihr, Reiter?
E r s t e r R e i t e r *(entdeckt den Nachen).*
                              Ha, was seh ich! Teufel!
W e r n i *(oben).*
  Ist's der im Nachen, den ihr sucht? – Reit zu!   175
  Wenn ihr frisch beilegt, holt ihr ihn noch ein.
Z w e i t e r.
  Verwünscht! Er ist entwischt.
E r s t e r *(zum Hirten und Fischer).*
                              Ihr habt ihm fortgeholfen,
  Ihr sollt uns büßen – Fallt in ihre Herde!
  Die Hütte reißet ein, brennt und schlagt nieder!
                    (Eilen fort.)
S e p p i *(stürzt nach).*
  O meine Lämmer!
K u o n i *(folgt).*   Weh mir! Meine Herde!   180
W e r n i. Die Wütriche!
R u o d i *(ringt die Hände).*   Gerechtigkeit des Himmels,
  Wann wird der Retter kommen diesem Lande?
  (Folgt ihnen.)

ZWEITE SZENE

*Zu Steinen in Schwyz. Eine Linde vor des Stauffachers
Hause an der Landstraße, nächst der Brücke.*

*Werner Stauffacher, Pfeifer von Luzern kommen im
Gespräch.*

P f e i f e r. Ja, ja, Herr Stauffacher, wie ich Euch sagte,
  Schwört nicht zu Östreich, wenn Ihr's könnt vermeiden.
  Haltet fest am Reich und wacker, wie bisher,   185
  Gott schirme Euch bei Eurer alten Freiheit!
  (Drückt ihm herzlich die Hand und will gehen.)
S t a u f f a c h e r.
  Bleibt doch, bis meine Wirtin kommt – Ihr seid
  Mein Gast zu Schwyz, ich in Luzern der Eure.
P f e i f e r. Viel Dank! Muß heute Gersau noch erreichen.
  – Was Ihr auch Schweres mögt zu leiden haben   190
  Von Eurer Vögte Geiz und Übermut,

Tragt's in Geduld! Es kann sich ändern, schnell,
Ein andrer Kaiser kann ans Reich gelangen.
Seid Ihr erst Österreichs, seid Ihr's auf immer.
*(Er geht ab. Stauffacher setzt sich kummervoll auf eine
Bank unter der Linde. So findet ihn Gertrud, seine Frau, die
sich neben ihn stellt und ihn eine Zeitlang schweigend be-
trachtet.)*

Gertrud.
  So ernst, mein Freund? Ich kenne dich nicht mehr.   195
  Schon viele Tage seh ich's schweigend an,
  Wie finstrer Trübsinn deine Stirne furcht.
  Auf deinem Herzen drückt ein still Gebresten,
  Vertrau es mir, ich bin dein treues Weib,
  Und meine Hälfte fordr' ich deines Grams.   200
      (Stauffacher reicht ihr die Hand und schweigt.)
  Was kann dein Herz beklemmen, sag es mir.
  Gesegnet ist dein Fleiß, dein Glücksstand blüht,
  Voll sind die Scheunen, und der Rinder Scharen,
  Der glatten Pferde wohlgenährte Zucht
  Ist von den Bergen glücklich heimgebracht   205
  Zur Winterung in den bequemen Ställen.
  – Da steht dein Haus, reich, wie ein Edelsitz,
  Von schönem Stammholz ist es neu gezimmert
  Und nach dem Richtmaß ordentlich gefügt;
  Von vielen Fenstern glänzt es wohnlich, hell,   210
  Mit bunten Wappenschildern ist's bemalt
  Und weisen Sprüchen, die der Wandersmann
  Verweilend liest und ihren Sinn bewundert.
Stauffacher.
  Wohl steht das Haus gezimmert und gefügt,
  Doch ach – es wankt der Grund, auf den wir bauten.   215
Gertrud. Mein Werner, sage, wie verstehst du das?
Stauffacher. Vor dieser Linde saß ich jüngst, wie heut,
  Das schön Vollbrachte freudig überdenkend,
  Da kam daher von Küßnacht, seiner Burg,
  Der Vogt mit seinen Reisigen geritten.   220
  Vor diesem Hause hielt er wundernd an,
  Doch ich erhub mich schnell, und unterwürfig,
  Wie sich's gebührt, trat ich dem Herrn entgegen,
  Der uns des Kaisers richterliche Macht
  Vorstellt im Lande. »Wessen ist dies Haus?«   225

Fragt' er bösemeinend, denn er wußt' es wohl.
Doch schnell besonnen ich entgegn' ihm so:
»Dies Haus, Herr Vogt, ist meines Herrn des Kaisers
Und Eures und mein Lehen« – Da versetzt' er:
»Ich bin Regent im Land an Kaisers Statt   230
Und will nicht, daß der Bauer Häuser baue
Auf seine eigne Hand und also frei
Hinleb', als ob er Herr wär' in dem Lande,
Ich werd mich unterstehn, Euch das zu wehren.«
Dies sagend ritt er trutziglich von dannen,   235
Ich aber blieb mit kummervoller Seele,
Das Wort bedenkend, das der Böse sprach.
G e r t r u d. Mein lieber Herr und Ehewirt! Magst du
Ein redlich Wort von deinem Weib vernehmen?
Des edeln Ibergs Tochter rühm ich mich,   240
Des vielerfahrnen Manns. Wir Schwestern saßen,
Die Wolle spinnend, in den langen Nächten,
Wenn bei dem Vater sich des Volkes Häupter
Versammelten, die Pergamente lasen
Der alten Kaiser, und des Landes Wohl   245
Bedachten in vernünftigem Gespräch.
Aufmerkend hört' ich da manch kluges Wort,
Was der Verständ'ge denkt, der Gute wünscht,
Und still im Herzen hab ich mir's bewahrt.
So höre denn und acht auf meine Rede,   250
Denn was dich preßte, sieh, das wußt' ich längst.
– Dir grollt der Landvogt, möchte gern dir schaden,
Denn du bist ihm ein Hindernis, daß sich
Der Schwyzer nicht dem neuen Fürstenhaus
Will unterwerfen, sondern treu und fest   255
Beim Reich beharren, wie die würdigen
Altvordern es gehalten und getan. –
Ist's nicht so, Werner? Sag es, wenn ich lüge!
S t a u f f a c h e r. So ist's, das ist des Geßlers Groll auf mich.
G e r t r u d. Er ist dir neidisch, weil du glücklich wohnst, 260
Ein freier Mann auf deinem eignen Erb',
– Denn *er* hat keins. Vom Kaiser selbst und Reich
Trägst du dies Haus zu Lehn; du darfst es zeigen,
So gut der Reichsfürst seine Länder zeigt,
Denn über dir erkennst du keinen Herrn   265
Als nur den Höchsten in der Christenheit –

Er ist ein jüngrer Sohn nur seines Hauses,
Nichts nennt er sein als seinen Rittermantel,
Drum sieht er jedes Biedermannes Glück
Mit scheelen Augen gift'ger Mißgunst an.   270
Dir hat er längst den Untergang geschworen –
Noch stehst du unversehrt – Willst du erwarten,
Bis er die böse Lust an dir gebüßt?
Der kluge Mann baut vor.
Stauffacher.   Was ist zu tun!
Gertrud *(tritt näher).*
So höre meinen Rat! Du weißt, wie hier   275
Zu Schwyz sich alle Redlichen beklagen
Ob dieses Landvogts Geiz und Wüterei.
So zweifle nicht, daß sie dort drüben auch
In Unterwalden und im Urner Land
Des Dranges müd sind und des harten Jochs –   280
Denn, wie der Geßler hier, so schafft es frech
Der Landenberger drüben überm See –
Es kommt kein Fischerkahn zu uns herüber,
Der nicht ein neues Unheil und Gewalt-
Beginnen von den Vögten uns verkündet   285
Drum tät' es gut, daß eurer etliche,
Die's redlich meinen, still zu Rate gingen,
Wie man des Drucks sich möcht' erledigen;
So acht ich wohl, Gott würd' euch nicht verlassen
Und der gerechten Sache gnädig sein –   290
Hast du in Uri keinen Gastfreund, sprich,
Dem du dein Herz magst redlich offenbaren?
Stauffacher. Der wackern Männer kenn ich viele dort,
Und angesehen große Herrenleute,
Die mir geheim sind und gar wohl vertraut.   295
(Er steht auf.) Frau, welchen Sturm gefährlicher Gedanken
Weckst du mir in der stillen Brust! Mein Innerstes
Kehrst du ans Licht des Tages mir entgegen,
Und was ich mir zu denken still verbot,
Du sprichst's mit leichter Zunge kecklich aus.   300
– Hast du auch wohl bedacht, was du mir rätst?
Die wilde Zwietracht und den Klang der Waffen
Rufst du in dieses friedgewohnte Tal –
Wir wagten es, ein schwaches Volk der Hirten,
In Kampf zu gehen mit dem Herrn der Welt?   305

Der gute Schein nur ist's, worauf sie warten,
Um loszulassen auf dies arme Land
Die wilden Horden ihrer Kriegesmacht,
Darin zu schalten mit des Siegers Rechten
Und unterm Schein gerechter Züchtigung   310
Die alten Freiheitsbriefe zu vertilgen.

Gertrud. Ihr seid *auch* Männer, wisset eure Axt
Zu führen, und dem Mutigen hilft Gott!

Stauffacher.
O Weib! Ein furchtbar wütend Schrecknis ist
Der Krieg, die Herde schlägt er und den Hirten.   315

Gertrud. Ertragen muß man, was der Himmel sendet,
Unbilliges erträgt kein edles Herz.

Stauffacher.
Dies Haus erfreut dich, das wir neu erbauten.
Der Krieg, der ungeheure, brennt es nieder.

Gertrud.
Wüßt' ich mein Herz an zeitlich Gut gefesselt,   320
Den Brand wärf' ich hinein mit eigner Hand.

Stauffacher.
Du glaubst an Menschlichkeit! Es schont der Krieg
Auch nicht das zarte Kindlein in der Wiege.

Gertrud. Die Unschuld hat im Himmel einen Freund!
– Sieh vorwärts, Werner, und nicht hinter dich.   325

Stauffacher.
Wir Männer können tapfer fechtend sterben,
Welch Schicksal aber wird das *eure* sein?

Gertrud.
Die letzte Wahl steht auch dem Schwächsten offen,
Ein Sprung von dieser Brücke macht mich frei.

Stauffacher *(stürzt in ihre Arme).*
Wer solch ein Herz an seinen Busen drückt,   330
Der kann für Herd und Hof mit Freuden fechten,
Und keines Königs Heermacht fürchtet er –
Nach Uri fahr ich stehnden Fußes gleich,
Dort lebt ein Gastfreund mir, Herr Walter Fürst,
Der über diese Zeiten denkt wie ich.   335
Auch find ich dort den edeln Bannerherrn
Von Attinghaus – obgleich von hohem Stamm,
Liebt er das Volk und ehrt die alten Sitten.
Mit ihnen beiden pfleg ich Rats, wie man

Der Landesfeinde mutig sich erwehrt –   340
Leb wohl – und weil ich fern bin, führe du
Mit klugem Sinn das Regiment des Hauses –
Dem Pilger, der zum Gotteshause wallt,
Dem frommen Mönch, der für sein Kloster sammelt,
Gib reichlich und entlaß ihn wohlgepflegt.   345
Stauffachers Haus verbirgt sich nicht. Zu äußerst
Am offnen Heerweg steht's, ein wirtlich Dach
Für alle Wandrer, die des Weges fahren.
(Indem sie nach dem Hintergrund abgehen, tritt Wilhelm
Tell mit Baumgarten vorn auf die Szene.)
T e l l *(zu Baumgarten).*
Ihr habt jetzt meiner weiter nicht vonnöten,
Zu jenem Hause gehet ein, dort wohnt   350
Der Stauffacher, ein Vater der Bedrängten.
– Doch sieh, da ist er selber – Folgt mir, kommt!
(Gehen auf ihn zu, die Szene verwandelt sich.)

DRITTE SZENE

Öffentlicher Platz bei Altdorf.
Auf einer Anhöhe im Hintergrund sieht man eine Feste
bauen, welche schon so weit gediehen, daß sich die Form des
Ganzen darstellt. Die hintere Seite ist fertig, an der vordern
wird eben gebaut, das Gerüste steht noch, an welchem die
Werkleute auf und nieder steigen; auf dem höchsten Dach
hängt der Schieferdecker – Alles ist in Bewegung und Arbeit.

Fronvogt. Meister Steinmetz. Gesellen und Handlanger.

F r o n v o g t *(mit dem Stabe, treibt die Arbeiter).*
Nicht lang gefeiert, frisch! Die Mauersteine
Herbei, den Kalk, den Mörtel zugefahren!
Wenn der Herr Landvogt kommt, daß er das Werk   355
Gewachsen sieht – Das schlendert wie die Schnecken.
(Zu zwei Handlangern, welche tragen.)
Heißt das geladen? Gleich das Doppelte!
Wie die Tagdiebe ihre Pflicht bestehlen!
E r s t e r   G e s e l l.
Das ist doch hart, daß wir die Steine selbst
Zu unserm Twing und Kerker sollen fahren!   360

Fronvogt. Was murret ihr? Das ist ein schlechtes Volk,
   Zu nichts anstellig, als das Vieh zu melken
   Und faul herumzuschlendern auf den Bergen.
Alter Mann *(ruht aus).*
   Ich kann nicht mehr.
Fronvogt *(schüttelt ihn).*   Frisch, Alter, an die Arbeit!
Erster Gesell.
   Habt Ihr denn gar kein Eingeweid', daß Ihr   365
   Den Greis, der kaum sich selber schleppen kann,
   Zum harten Frondienst treibt?
Meister Steinmetz und Gesellen.
                     's ist himmelschreiend!
Fronvogt. Sorgt ihr für euch; ich tu, was meines Amts.
Zweiter Gesell.
   Fronvogt, wie wird die Feste denn sich nennen,
   Die wir da baun?
Fronvogt.   Zwing Uri soll sie heißen,   370
   Denn unter dieses Joch wird man euch beugen.
Gesellen. Zwing Uri!
Fronvogt.   Nun, was gibt's dabei zu lachen?
Zweiter Gesell.
   Mit diesem Häuslein wollt Ihr Uri zwingen?
Erster Gesell.
   Laß sehn, wieviel man solcher Maulwurfshaufen
   Muß übernander setzen, bis ein Berg   375
   Draus wird, wie der geringste nur in Uri!
         (Fronvogt geht nach dem Hintergrund.)
Meister Steinmetz.
   Den Hammer werf' ich in den tiefsten See,
   Der mir gedient bei diesem Fluchgebäude!
            (Tell und Stauffacher kommen.)
Stauffacher.
   O hätt' ich nie gelebt, um das zu schauen!
Tell. Hier ist nicht gut sein. Laßt uns weitergehn.   380
Stauffacher. Bin ich zu Uri, in der Freiheit Land?
Meister Steinmetz.
   O Herr, wenn Ihr die Keller erst gesehn
   Unter den Türmen! Ja, wer *die* bewohnt,
   Der wird den Hahn nicht fürder krähen hören!
Stauffacher.
   O Gott!

S t e i n m e t z. Seht diese Flanken, diese Strebepfeiler,   385
  Die stehn, wie für die Ewigkeit gebaut!
T e l l. Was Hände bauten, können Hände stürzen.
  (Nach den Bergen zeigend.)
  Das Haus der Freiheit hat uns Gott gegründet.
*(Man hört eine Trommel, es kommen Leute, die einen Hut
auf einer Stange tragen, ein Ausrufer folgt ihnen, Weiber
          und Kinder dringen tumultuarisch nach.)*
E r s t e r G e s e l l.
  Was will die Trommel? Gebet acht!
M e i s t e r S t e i n m e t z.   Was für
  Ein Fasnachtsaufzug, und was soll der Hut?   390
A u s r u f e r. In des Kaisers Namen! Höret!
G e s e l l e n.   Still doch! Höret!
A u s r u f e r. Ihr sehet diesen Hut, Männer von Uri!
  Aufrichten wird man ihn auf hoher Säule,
  Mitten in Altdorf, an dem höchsten Ort,
  Und dieses ist des Landvogts Will' und Meinung: 395
  Dem Hut soll gleiche Ehre wie ihm selbst geschehn,
  Man soll ihn mit gebognem Knie und mit
  Entblößtem Haupt verehren – Daran will
  Der König die Gehorsamen erkennen.
  Verfallen ist mit seinem Leib und Gut   400
  Dem Könige, wer das Gebot verachtet.
*(Das Volk lacht laut auf, die Trommel wird gerührt, sie
                gehen vorüber.)*
E r s t e r G e s e l l. Welch neues Unerhörtes hat der Vogt
  Sich ausgesonnen? Wir 'nen *Hut* verehren!
  Sagt! Hat man je vernommen von dergleichen?
M e i s t e r S t e i n m e t z.
  Wir unsre Kniee beugen einem Hut!   405
  Treibt er sein Spiel mit ernsthaft würd'gen Leuten?
E r s t e r G e s e l l.
  Wär's noch die kaiserliche Kron'! So ist's
  Der Hut von Österreich, ich sah ihn hangen
  Über dem Thron, wo man die Lehen gibt!
M e i s t e r S t e i n m e t z.
  Der Hut von Österreich! Gebt acht, es ist   410
  Ein Fallstrick, uns an Östreich zu verraten!
G e s e l l e n.
  Kein Ehrenmann wird sich der Schmach bequemen.

Meister Steinmetz.
    Kommt, laßt uns mit den andern Abred' nehmen.
                    (*Sie gehen nach der Tiefe.*)
Tell (*zum Stauffacher*).
    Ihr wisset nun Bescheid. Lebt wohl, Herr Werner!
Stauffacher.
    Wo wollt Ihr hin? O eilt nicht so von dannen.   415
Tell. Mein Haus entbehrt des Vaters. Lebet wohl.
Stauffacher.
    Mir ist das Herz so voll, mit Euch zu reden.
Tell. Das schwere Herz wird nicht durch Worte leicht.
Stauffacher.
    Doch könnten Worte uns zu Taten führen.
Tell. Die einz'ge Tat ist jetzt Geduld und Schweigen.   420
Stauffacher. Soll man ertragen, was unleidlich ist?
Tell. Die schnellen Herrscher sind's, die kurz regieren.
    – Wenn sich der Föhn erhebt aus seinen Schlünden,
    Löscht man die Feuer aus, die Schiffe suchen
    Eilends den Hafen, und der mächt'ge Geist   425
    Geht ohne Schaden, spurlos, über die Erde.
    Ein jeder lebe still bei sich daheim,
    Dem Friedlichen gewährt man gern den Frieden.
Stauffacher. Meint Ihr?
Tell.   Die Schlange sticht nicht ungereizt.
    Sie werden endlich doch von selbst ermüden,   430
    Wenn sie die Lande ruhig bleiben sehn.
Stauffacher.
    Wir könnten viel, wenn wir zusammenstünden.
Tell. Beim Schiffbruch hilft der einzelne sich leichter.
Stauffacher. So kalt verlaßt Ihr Euch die gemeine Sache?
Tell. Ein jeder zählt nur sicher auf sich selbst.   435
Stauffacher.
    Verbunden werden auch die Schwachen mächtig.
Tell. Der Starke ist am mächtigsten *allein*.
Stauffacher.
    So kann das Vaterland auf Euch nicht zählen,
    Wenn es verzweiflungsvoll zur Notwehr greift?
Tell (*gibt ihm die Hand*).
    Der Tell holt ein verlornes Lamm vom Abgrund,   440
    Und sollte seinen Freunden sich entziehen?
    Doch *was* ihr tut, laßt mich aus eurem *Rat*,

Ich kann nicht lange prüfen oder wählen;
Bedürft ihr meiner zu bestimmter *Tat,*
Dann ruft den Tell, es soll an mir nicht fehlen.   445
(Gehen ab zu verschiedenen Seiten. Ein plötzlicher Auflauf
entsteht um das Gerüste.)
M e i s t e r S t e i n m e t z *(eilt hin). Was gibt's?*
E r s t e r G e s e l l *(kommt vor, rufend).*
  Der Schieferdecker ist vom Dach gestürzt.
                  (Berta mit Gefolge.)
B e r t a *(stürzt herein).*
  Ist er zerschmettert? Rennet, rettet, helft –
  Wenn Hilfe möglich, rettet, hier ist Gold –
  (Wirft ihr Geschmeide unter das Volk.)
M e i s t e r. Mit eurem Golde – Alles ist euch feil   450
  Um Gold; wenn ihr den Vater von den Kindern
  Gerissen und den Mann von seinem Weibe
  Und Jammer habt gebracht über die Welt,
  Denkt ihr's mit Golde zu vergüten – Geht!
  Wir waren frohe Menschen, eh' ihr kamt,   455
  Mit euch ist die Verzweiflung eingezogen.
B e r t a *(zu dem Fronvogt, der zurückkommt).*
  Lebt er?
          (Fronvogt gibt ein Zeichen des Gegenteils.)
          O unglücksel'ges Schloß, mit Flüchen
  Erbaut, und Flüche werden dich bewohnen! *(Geht ab.)*

VIERTE SZENE

Walter Fürsts Wohnung.

Walter Fürst und Arnold vom Melchtal treten zugleich ein,
von verschiedenen Seiten.

M e l c h t a l. Herr Walter Fürst –
W a l t e r F ü r s t.   Wenn man uns überraschte!
  Bleibt, wo Ihr seid. Wir sind umringt von Spähern.   460
M e l c h t a l.
  Bringt Ihr mir nichts von Unterwalden? Nichts
  Von meinem Vater? Nicht ertrag ich's länger,
  Als ein Gefangner müßig hier zu liegen.
  Was hab ich denn so Sträfliches getan,

Um mich gleich einem Mörder zu verbergen?   465
Dem frechen Buben, der die Ochsen mir,
Das trefflichste Gespann, vor meinen Augen
Weg wollte treiben auf des Vogts Geheiß,
Hab ich den Finger mit dem Stab gebrochen.

W a l t e r   F ü r s t.
Ihr seid zu rasch. Der Bube war des Vogts,   470
Von Eurer Obrigkeit war er gesendet,
Ihr wart in Straf' gefallen, mußtet Euch,
Wie schwer sie war, der Buße schweigend fügen.

M e l c h t a l. Ertragen sollt' ich die leichtfert'ge Rede
Des Unverschämten: »Wenn der Bauer Brot   475
Wollt' essen, mög' er selbst am Pfluge ziehn!«
In die Seele schnitt mir's, als der Bub die Ochsen,
Die schönen Tiere, von dem Pfluge spannte;
Dumpf brüllten sie, als hätten sie Gefühl
Der Ungebühr, und stießen mit den Hörnern –   480
Da übernahm mich der gerechte Zorn,
Und meiner selbst nicht Herr, schlug ich den Boten.

W a l t e r   F ü r s t. O kaum bezwingen wir das eigne Herz,
Wie soll die rasche Jugend sich bezähmen!

M e l c h t a l. Mich jammert nur der Vater – Er bedarf   485
So sehr der Pflege, und sein Sohn ist fern.
Der Vogt ist ihm gehässig, weil er stets
Für Recht und Freiheit redlich hat gestritten.
Drum werden sie den alten Mann bedrängen,
Und niemand ist, der ihn vor Unglimpf schütze.   490
– Werde mit mir, was will, ich muß hinüber.

W a l t e r   F ü r s t. Erwartet nur und faßt Euch in Geduld,
Bis Nachricht uns herüberkommt vom Walde.
– Ich höre klopfen, geht – Vielleicht ein Bote
Vom Landvogt – Geht hinein – Ihr seid in Uri   495
Nicht sicher vor des Landenbergers Arm,
Denn die Tyrannen reichen sich die Hände.

M e l c h t a l. Sie lehren uns, was *wir* tun sollten.

W a l t e r   F ü r s t.   Geht!
Ich ruf Euch wieder, wenn's hier sicher ist.
           (*Melchtal geht hinein.*)
Der Unglückselige, ich darf ihm nicht   500
Gestehen, was mir Böses schwant – Wer klopft?
Sooft die Türe rauscht, erwart ich Unglück.

Verrat und Argwohn lauscht in allen Ecken,
Bis in das Innerste der Häuser dringen
Die Boten der Gewalt; bald tät' es not,   505
Wir hätten Schloß und Riegel an den Türen.
(Er öffnet und tritt erstaunt zurück, da Werner Stauffacher hereintritt.)
Was seh ich? Ihr, Herr Werner! Nun, bei Gott,
Ein werter, teurer Gast – Kein beßrer Mann
Ist über diese Schwelle noch gegangen.
Seid hoch willkommen unter meinem Dach!   510
Was führt Euch her? Was sucht Ihr hier in Uri?
Stauffacher *(ihm die Hand reichend)*.
Die alten Zeiten und die alte Schweiz.
Walter Fürst.
Die bringt Ihr mit Euch – Sieh, mir wird so wohl,
Warm geht das Herz mir auf bei Eurem Anblick.
– Setzt Euch, Herr Werner – Wie verließet Ihr   515
Frau Gertrud, Eure angenehme Wirtin,
Des weisen Ibergs hochverständ'ge Tochter?
Von allen Wandrern aus dem deutschen Land,
Die über Meinrads Zell nach Welschland fahren,
Rühmt jeder Euer gastlich Haus – Doch sagt,   520
Kommt Ihr soeben frisch von Flüelen her,
Und habt Euch nirgend sonst noch umgesehn,
Eh' Ihr den Fuß gesetzt auf diese Schwelle?
Stauffacher *(setzt sich)*.
Wohl ein erstaunlich neues Werk hab ich
Bereiten sehen, das mich nicht erfreute.   525
Walter Fürst.
O Freund, da habt Ihr's gleich mit *einem* Blicke!
Stauffacher. Ein solches ist in Uri nie gewesen –
Seit Menschendenken war kein Twinghof hier,
Und fest war keine Wohnung als das Grab.
Walter Fürst.
Ein Grab der Freiheit ist's. Ihr nennt's mit Namen.   530
Stauffacher.
Herr Walter Fürst, ich will Euch nicht verhalten:
Nicht eine müß'ge Neugier führt mich her,
Mich drücken schwere Sorgen – Drangsal hab ich
Zu Haus verlassen, Drangsal find ich hier.
Denn ganz unleidlich ist's, was wir erdulden,   535

Und dieses Dranges ist kein Ziel zu sehn.
Frei war der Schweizer von uralters her,
Wir sind's gewohnt, daß man uns gut begegnet –
Ein solches war im Lande nie erlebt,
Solang ein Hirte trieb auf diesen Bergen.   540

Walter Fürst. Ja, es ist ohne Beispiel, wie sie's treiben!
Auch unser edler Herr von Attinghausen,
Der noch die alten Zeiten hat gesehn,
Meint selber, es sei nicht mehr zu ertragen.

Stauffacher.
Auch drüben unterm Wald geht Schweres vor,   545
Und blutig wird's gebüßt – der Wolfenschießen,
Des Kaisers Vogt, der auf dem Roßberg hauste,
Gelüsten trug er nach verbotner Frucht,
Baumgartens Weib, der haushält zu Alzellen,
Wollt' er zu frecher Ungebühr mißbrauchen,   550
Und mit der Axt hat ihn der Mann erschlagen.

Walter Fürst. Oh, die Gerichte Gottes sind gerecht!
– Baumgarten, sagt Ihr? Ein bescheidner Mann!
Er ist gerettet doch und wohl geborgen?

Stauffacher. Euer Eidam hat ihn übern See geflüchtet,
Bei mir zu Steinen halt ich ihn verborgen –   556
– Noch Greulichers hat mir derselbe Mann
Berichtet, was zu Sarnen ist geschehn,
Das Herz muß jedem Biedermanne bluten.

Walter Fürst *(aufmerksam)*.
Sagt an, was ist's?

Stauffacher. Im Melchtal, da wo man   560
Eintritt bei Kerns, wohnt ein gerechter Mann,
Sie nennen ihn den Heinrich von der Halden,
Und seine Stimm' gilt was in der Gemeinde.

Walter Fürst.
Wer kennt ihn nicht! Was ist's mit ihm? Vollendet.

Stauffacher. Der Landenberger büßte seinen Sohn 565
Um kleinen Fehlers willen, ließ die Ochsen,
Das beste Paar, ihm aus dem Pfluge spannen,
Da schlug der Knab den Knecht und wurde flüchtig.

Walter Fürst *(in höchster Spannung)*.
Der Vater aber – Sagt, wie steht's um den?

Stauffacher.
Den Vater läßt der Landenberger fordern,   570

Zur Stelle schaffen soll er ihm den Sohn,
Und da der alte Mann mit Wahrheit schwört,
Er habe von dem Flüchtling keine Kunde,
Da läßt der Vogt die Folterknechte kommen –
W a l t e r   F ü r s t *(springt auf und will ihn auf die andre*
Seite führen).
O still, nichts mehr!
S t a u f f a c h e r *(mit steigendem Ton).*
          »Ist mir der Sohn entgangen,   575
So hab ich *dich*!« – Läßt ihn zu Boden werfen,
Den spitz'gen Stahl ihm in die Augen bohren –
W a l t e r   F ü r s t. Barmherz'ger Himmel!
M e l c h t a l *(stürzt heraus).*   In die Augen, sagt Ihr?
S t a u f f a c h e r *(erstaunt zum Walter Fürst).*
Wer ist der Jüngling?
M e l c h t a l *(faßt ihn mit krampfhafter Heftigkeit).*
                    In die Augen? Redet!
W a l t e r   F ü r s t. O der Bejammernswürdige!
S t a u f f a c h e r.   Wer ist's? 580
          (Da Walter Fürst ihm ein Zeichen gibt.)
Der Sohn ist's? Allgerechter Gott!
M e l c h t a l.   Und ich
Muß ferne sein! – In seine beiden Augen?
W a l t e r   F ü r s t.
Bezwinget Euch, ertragt es wie ein Mann!
M e l c h t a l.
Um *meiner* Schuld, um *meines* Frevels willen!
– Blind also! Wirklich *blind*, und *ganz* geblendet?   585
S t a u f f a c h e r.
Ich sagt's. Der Quell des Sehns ist ausgeflossen,
Das Licht der Sonne schaut er niemals wieder.
W a l t e r   F ü r s t. Schont seines Schmerzens!
M e l c h t a l.   Niemals! Niemals wieder!
(Er drückt die Hand vor die Augen und schweigt einige
Momente, dann wendet er sich von dem einen zu dem
andern und spricht mit sanfter, von Tränen erstickter
Stimme.)
Oh, eine edle Himmelsgabe ist
Das Licht des Auges – Alle Wesen leben   590
Vom Lichte, jedes glückliche Geschöpf –
Die Pflanze selbst kehrt freudig sich zum Lichte.

Und *er* muß sitzen, fühlend, in der Nacht,
Im ewig Finstern – ihn erquickt nicht mehr
Der Matten warmes Grün, der Blumen Schmelz, 595
Die roten Firnen kann er nicht mehr schauen –
Sterben ist nichts – doch *leben* und nicht *sehen*,
Das ist ein Unglück – Warum seht Ihr mich
So jammernd an? Ich hab zwei frische Augen
Und kann dem blinden Vater keines geben, 600
Nicht einen Schimmer von dem Meer des Lichts,
Das glanzvoll, blendend mir ins Auge dringt.
S t a u f f a c h e r.
    Ach, ich muß Euren Jammer noch vergrößern,
Statt ihn zu heilen – Er bedarf noch mehr!
Denn alles hat der Landvogt ihm geraubt, 605
Nichts hat er ihm gelassen als den Stab,
Um nackt und blind von Tür zu Tür zu wandern.
M e l c h t a l. Nichts als den Stab dem augenlosen Greis!
    Alles geraubt und auch das Licht der Sonne,
Des Ärmsten allgemeines Gut – Jetzt rede 610
Mir keiner mehr von Bleiben, von Verbergen!
Was für ein feiger Elender bin ich,
Daß ich auf *meine* Sicherheit gedacht
Und nicht auf deine! – dein geliebtes Haupt
Als Pfand gelassen in des Wütrichs Händen! 615
Feigherz'ge Vorsicht, fahre hin – Auf nichts
Als blutige Vergeltung will ich denken,
Hinüber will ich – Keiner soll mich halten –
Des Vaters Auge von dem Landvogt fordern –
Aus allen seinen Reisigen heraus 620
Will ich ihn finden – Nichts liegt mir am Leben,
Wenn ich den heißen, ungeheuren Schmerz
In seinem Lebensblute kühle. (*Er will gehen.*)
W a l t e r   F ü r s t.   Bleibt!
    Was könnt Ihr gegen ihn? Er sitzt zu Sarnen
Auf seiner hohen Herrenburg und spottet 625
Ohnmächt'gen Zorns in seiner sichern Feste.
M e l c h t a l. Und wohnt' er droben auf dem Eispalast
    Des Schreckhorns oder höher, wo die Jungfrau
Seit Ewigkeit verschleiert sitzt – *ich* mache
Mir Bahn zu ihm; mit zwanzig Jünglingen, 630
Gesinnt wie ich, zerbrech ich seine Feste.

Und wenn mir niemand folgt, und wenn Ihr alle,
Für Eure Hütten bang und Eure Herden,
Euch dem Tyrannenjoche beugt – die Hirten
Will ich zusammenrufen im Gebirg,   635
Dort, unterm freien Himmelsdache, wo
Der Sinn noch frisch ist und das Herz gesund,
Das ungeheuer Gräßliche erzählen.

S t a u f f a c h e r *(zu Walter Fürst).*
Es ist auf seinem Gipfel – wollen wir
Erwarten, bis das Äußerste –

M e l c h t a l.   Welch Äußerstes   640
Ist noch zu fürchten, wenn der Stern des Auges
In seiner Höhle nicht mehr sicher ist?
– Sind wir denn wehrlos? Wozu lernten wir
Die Armbrust spannen und die schwere Wucht
Der Streitaxt schwingen? Jedem Wesen ward   645
Ein Notgewehr in der Verzweiflungsangst:
Es stellt sich der erschöpfte Hirsch und zeigt
Der Meute sein gefürchtetes Geweih,
Die Gemse reißt den Jäger in den Abgrund –
Der Pflugstier selbst, der sanfte Hausgenoß   650
Des Menschen, der die ungeheure Kraft
Des Halses duldsam unters Joch gebogen,
Springt auf, gereizt, wetzt sein gewaltig Horn
Und schleudert seinen Feind den Wolken zu.

W a l t e r F ü r s t.
Wenn die drei Lande dächten wie wir drei,   655
So möchten wir vielleicht etwas vermögen.

S t a u f f a c h e r. Wenn Uri ruft, wenn Unterwalden hilft,
Der Schwyzer wird die alten Bünde ehren.

M e l c h t a l. Groß ist in Unterwalden meine Freundschaft,
Und jeder wagt mit Freuden Leib und Blut,   660
Wenn er am andern einen Rücken hat
Und Schirm – O fromme Väter dieses Landes!
Ich stehe nur ein Jüngling zwischen Euch,
Den Vielerfahrnen – meine Stimme muß
Bescheiden schweigen in der Landsgemeinde.   665
Nicht, weil ich jung bin und nicht viel erlebte,
Verachtet meinen Rat und meine Rede;
Nicht lüstern jugendliches Blut, mich treibt
Des höchsten Jammers schmerzliche Gewalt,

Was auch den Stein des Felsens muß erbarmen.   670
Ihr selbst seid Väter, Häupter eines Hauses
Und wünscht Euch einen tugendhaften Sohn,
Der Eures Hauptes heil'ge Locken ehre
Und Euch den Stern des Auges fromm bewache.
Oh, weil Ihr selbst an Eurem Leib und Gut   675
Noch nichts erlitten, Eure Augen sich
Noch frisch und hell in ihren Kreisen regen,
So sei Euch darum unsre Not nicht fremd.
Auch über Euch hängt das Tyrannenschwert,
Ihr habt das Land von Östreich abgewendet –   680
Kein anderes war meines Vaters Unrecht,
Ihr seid in gleicher Mitschuld und Verdammnis.

S t a u f f a c h e r (zu *Walter Fürst*).
Beschließet *Ihr*, ich bin bereit, zu folgen.

W a l t e r F ü r s t. Wir wollen hören, was die edeln Herrn
Von Sillinen, von Attinghausen raten –   685
Ihr Name, denk ich, wird uns Freunde werben.

M e l c h t a l. Wo ist ein Name in dem Waldgebirg
Ehrwürdiger als Eurer und der Eure?
An solcher Namen echte Währung glaubt
Das Volk, sie haben guten Klang im Lande.   690
Ihr habt ein reiches Erb' von Vätertugend
Und habt es selber reich vermehrt – Was braucht's
Des Edelmanns? Laßt's uns allein vollenden.
Wären wir doch allein im Land! Ich meine,
Wir wollten uns schon selbst zu schirmen wissen.   695

S t a u f f a c h e r.
Die Edeln drängt nicht gleiche Not mit uns;
Der Strom, der in den Niederungen wütet,
Bis jetzt hat er die Höhn noch nicht erreicht –
Doch ihre Hilfe wird uns nicht entstehn,
Wenn sie das Land in Waffen erst erblicken.   700

W a l t e r F ü r s t.
Wäre ein Obmann zwischen uns und Östreich,
So möchte Recht entscheiden und Gesetz,
Doch, der uns unterdrückt, ist unser Kaiser
Und höchster Richter – so muß *Gott uns helfen
Durch unsern Arm* – Erforschet *Ihr* die Männer   705
Von Schwyz, *ich* will in Uri Freunde werben.
Wen aber senden wir nach Unterwalden –

Melchtal. Mich sendet hin – wem läg' es näher an –
Walter Fürst.
  Ich geb's nicht zu, Ihr seid mein Gast, ich muß
  Für Eure Sicherheit gewähren!
Melchtal.   Laßt mich!   710
  Die Schliche kenn ich und die Felsensteige,
  Auch Freunde find ich gnug, die mich dem Feind
  Verhehlen und ein Obdach gern gewähren.
Stauffacher.
  Laßt ihn mit Gott hinübergehn. Dort drüben
  Ist kein Verräter – so verabscheut ist   715
  Die Tyrannei, daß sie kein Werkzeug findet.
  Auch der Alzeller soll uns nid dem Wald
  Genossen werben und das Land erregen.
Melchtal. Wie bringen wir uns sichre Kunde zu,
  Daß wir den Argwohn der Tyrannen täuschen?   720
Stauffacher. Wir könnten uns zu Brunnen oder Treib
  Versammeln, wo die Kaufmannsschiffe landen.
Walter Fürst.
  So offen dürfen wir das Werk nicht treiben.
  – Hört meine Meinung. Links am See, wenn man
  Nach Brunnen fährt, dem Mythenstein grad über,   725
  Liegt eine Matte heimlich im Gehölz,
  Das Rütli heißt sie bei dem Volk der Hirten,
  Weil dort die Waldung ausgereutet ward.
  Dort ist's, wo unsre Landmark und die Eure
  (*zu Melchtal*)
  Zusammengrenzen, und in kurzer Fahrt   730
  (*zu Stauffacher*)
  Trägt Euch der leichte Kahn von Schwyz herüber.
  Auf öden Pfaden können wir dahin
  Bei Nachtzeit wandern und uns still beraten.
  Dahin mag jeder zehn vertraute Männer
  Mitbringen, die herzeinig sind mit uns,   735
  So können wir gemeinsam das Gemeine
  Besprechen und mit Gott es frisch beschließen.
Stauffacher.
  So sei's. Jetzt reicht mir Eure biedre Rechte,
  Reicht Ihr die Eure her, und so wie wir
  Drei Männer jetzo, unter uns, die Hände   740
  Zusammenflechten, redlich, ohne Falsch,

So wollen wir *drei Länder* auch, zu Schutz
Und Trutz, zusammenstehn auf Tod und Leben.
Walter Fürst und Melchtal.
   Auf Tod und Leben!
(Sie halten die Hände noch einige Pausen lang zusammen-
                    geflochten und schweigen.)
Melchtal.   Blinder alter Vater!
   Du kannst den Tag der Freiheit nicht mehr *schauen,*   745
   Du sollst ihn *hören* – Wenn von Alp zu Alp
   Die Feuerzeichen flammend sich erheben,
   Die festen Schlösser der Tyrannen fallen,
   In deine Hütte soll der Schweizer wallen,
   Zu deinem Ohr die Freudenkunde tragen,   750
   Und hell in deiner Nacht soll es dir tagen.
                    (Sie gehen auseinander.)

ZWEITER AUFZUG

ERSTE SZENE

Edelhof des Freiherrn von Attinghausen.

Ein gotischer Saal, mit Wappenschildern und Helmen verziert. Der Freiherr, ein Greis von fünfundachtzig Jahren, von hoher edler Statur, an einem Stabe, worauf ein Gemsenhorn, und in ein Pelzwams gekleidet. Kuoni und noch sechs Knechte stehen um ihn her mit Rechen und Sensen – Ulrich von Rudenz tritt ein in Ritterkleidung.

R u d e n z. Hier bin ich, Oheim – Was ist Euer Wille?
A t t i n g h a u s e n.
    Erlaubt, daß ich nach altem Hausgebrauch
    Den Frühtrunk erst mit meinen Knechten teile.
    (Er trinkt aus einem Becher, der dann in der Reihe herumgeht.)
    Sonst war ich selber mit in Feld und Wald,   755
    Mit meinem Auge ihren Fleiß regierend,
    Wie sie mein Banner führte in der Schlacht –
    Jetzt kann ich nichts mehr, als den Schaffner machen,
    Und kommt die warme Sonne nicht zu mir,
    Ich kann sie nicht mehr suchen auf den Bergen.   760
    Und so, in enger stets und engerm Kreis,
    Beweg ich mich dem engesten und letzten,
    Wo alles Leben stillsteht, langsam zu –
    Mein Schatte bin ich nur, bald nur mein Name.
K u o n i *(zu Rudenz mit dem Becher).*
    Ich bring's Euch, Junker.
        (Da Rudenz zaudert, den Becher zu nehmen.)
                    Trinket frisch! Es geht   765
    Aus *einem* Becher und aus *einem* Herzen.
A t t i n g h a u s e n.
    Geht, Kinder, und wenn's Feierabend ist,
    Dann reden wir auch von des Lands Geschäften.
          (Knechte gehen ab.)
          (Attinghausen und Rudenz.)

Attinghausen.
  Ich sehe dich gegürtet und gerüstet,
  Du willst nach Altdorf in die Herrenburg?   770
Rudenz. Ja, Oheim, und ich darf nicht länger säumen –
Attinghausen *(setzt sich).*
  Hast du's so eilig? Wie? Ist deiner Jugend
  Die Zeit so karg gemessen, daß du sie
  An deinem alten Oheim mußt ersparen?
Rudenz. Ich sehe, daß Ihr meiner nicht bedürft,   775
  Ich bin ein Fremdling nur in diesem Hause.
Attinghausen *(hat ihn lange mit den Augen ge-*
  mustert).
  Ja, leider bist du's. Leider ist die Heimat
  Zur Fremde dir geworden! – Uli! Uli!
  Ich kenne dich nicht mehr. In Seide prangst du,
  Die Pfauenfeder trägst du stolz zur Schau   780
  Und schlägst den Purpurmantel um die Schultern,
  Den Landmann blickst du mit Verachtung an
  Und schämst dich seiner traulichen Begrüßung.
Rudenz. Die Ehr', die ihm gebührt, geb ich ihm gern;
  Das Recht, das er sich nimmt, verweigr' ich ihm.   785
Attinghausen.
  Das ganze Land liegt unterm schweren Zorn
  Des Königs – Jedes Biedermannes Herz
  Ist kummervoll ob der tyrannischen Gewalt,
  Die wir erdulden – Dich allein rührt nicht
  Der allgemeine Schmerz – Dich siehet man   790
  Abtrünnig von den Deinen auf der Seite
  Des Landesfeindes stehen, unsrer Not
  Hohnsprechend nach der leichten Freude jagen
  Und buhlen um die Fürstengunst, indes
  Dein Vaterland von schwerer Geißel blutet.   795
Rudenz.
  Das Land ist schwer bedrängt – Warum, mein Oheim?
  Wer ist's, der es gestürzt in diese Not?
  Es kostete ein einzig leichtes Wort,
  Um augenblicks des Dranges los zu sein
  Und einen gnäd'gen Kaiser zu gewinnen.   800
  Weh ihnen, die dem Volk die Augen halten,
  Daß es dem wahren Besten widerstrebt.
  Um eignen Vorteils willen hindern sie,

Daß die Waldstätte nicht zu Östreich schwören,
Wie ringsum alle Lande doch getan.   805
Wohl tut es ihnen, auf der Herrenbank
Zu sitzen mit dem Edelmann – den *Kaiser*
Will man zum Herrn, um *keinen* Herrn zu haben.

Attinghausen.
Muß ich *das* hören und aus deinem Munde!

Rudenz. Ihr habt mich aufgefordert, laßt mich enden.   810
– Welche Person ist's, Oheim, die Ihr selbst
Hier spielt? Habt Ihr nicht höhern Stolz, als hier
Landammann oder Bannerherr zu sein
Und neben diesen Hirten zu regieren?
Wie? Ist's nicht eine rühmlichere Wahl,   815
Zu huldigen dem königlichen Herrn,
Sich an sein glänzend Lager anzuschließen,
Als Eurer eignen Knechte Pair zu sein
Und zu Gericht zu sitzen mit dem Bauer?

Attinghausen. Ach Uli! Uli! Ich erkenne sie,   820
Die Stimme der Verführung! Sie ergriff
Dein offnes Ohr, sie hat dein Herz vergiftet.

Rudenz. Ja, ich verberg es nicht – in tiefer Seele
Schmerzt mich der Spott der Fremdlinge, die uns
Den *Bauernadel* schelten – Nicht ertrag ich's,   825
Indes die edle Jugend rings umher
Sich Ehre sammelt unter Habsburgs Fahnen,
Auf meinem Erb' hier müßig stillzuliegen
Und bei gemeinem Tagewerk den Lenz
Des Lebens zu verlieren – Anderswo   830
Geschehen Taten, eine Welt des Ruhms
Bewegt sich glänzend jenseits dieser Berge –
Mir rosten in der Halle Helm und Schild,
Der Kriegstrommete mutiges Getön,
Der Heroldsruf, der zum Turniere ladet,   835
Er dringt in diese Täler nicht herein,
Nichts als den Kuhreihn und der Herdeglocken
Einförmiges Geläut' vernehm ich hier.

Attinghausen.
Verblendeter, vom eiteln Glanz verführt!
Verachte dein Geburtsland! Schäme dich   840
Der uralt frommen Sitte deiner Väter!
Mit heißen Tränen wirst du dich dereinst

Heim sehnen nach den väterlichen Bergen,
Und dieses Herdenreihens Melodie,
Die du in stolzem Überdruß verschmähst,   845
Mit Schmerzenssehnsucht wird sie dich ergreifen,
Wenn sie dir anklingt auf der fremden Erde.
O mächtig ist der Trieb des Vaterlands!
Die fremde falsche Welt ist nicht für dich,
Dort an dem stolzen Kaiserhof bleibst du   850
Dir ewig fremd mit deinem treuen Herzen!
Die Welt, sie fordert andre Tugenden,
Als du in diesen Tälern dir erworben.
– Geh hin, verkaufe deine freie Seele,
Nimm Land zu Lehen, werd ein Fürstenknecht,   855
Da du ein Selbstherr sein kannst und ein Fürst
Auf deinem eignen Erb' und freien Boden.
Ach, Uli! Uli! Bleibe bei den Deinen!
Geh nicht nach Altdorf – O verlaß sie nicht,
Die heil'ge Sache deines Vaterlands!   860
– Ich bin der Letzte meines Stamms. Mein Name
Endet mit mir. Da hängen Helm und Schild,
Die werden sie mir in das Grab mitgeben.
Und muß ich denken bei dem letzten Hauch,
Daß du mein brechend Auge nur erwartest,   865
Um hinzugehn vor diesen neuen Lehenhof
Und meine edeln Güter, die ich frei
Von Gott empfing, von Östreich zu empfangen!
R u d e n z. Vergebens widerstreben wir dem König,
Die Welt gehört ihm; wollen wir allein   870
Uns eigensinnig steifen und verstocken,
Die Länderkette ihm zu unterbrechen,
Die er gewaltig rings um uns gezogen?
Sein sind die Märkte, die Gerichte, *sein*
Die Kaufmannsstraßen, und das Saumroß selbst,   875
Das auf dem Gotthard ziehet, muß ihm zollen.
Von seinen Ländern wie mit einem Netz
Sind wir umgarnet rings und eingeschlossen.
– Wird uns das Reich beschützen? Kann es selbst
Sich schützen gegen Östreichs wachsende Gewalt?   880
Hilft Gott uns nicht, kein Kaiser kann uns helfen.
Was ist zu geben auf der Kaiser Wort,
Wenn sie in Geld- und Kriegsnot die Städte,

Die untern Schirm des Adlers sich geflüchtet,
Verpfänden dürfen und dem Reich veräußern?   885
– Nein, Oheim! Wohltat ist's und weise Vorsicht,
In diesen schweren Zeiten der Parteiung
Sich anzuschließen an ein mächtig Haupt.
Die Kaiserkrone geht von Stamm zu Stamm,
Die hat für treue Dienste kein Gedächtnis.   890
Doch um den mächt'gen Erbherrn wohl verdienen
Heißt Saaten in die Zukunft streun.

Attinghausen.   Bist du so weise?
Willst heller sehn als deine edeln Väter,
Die um der Freiheit kostbarn Edelstein
Mit Gut und Blut und Heldenkraft gestritten?   895
– Schiff nach Luzern hinunter, frage *dort*,
Wie Östreichs Herrschaft lastet auf den Ländern!
Sie werden kommen, unsre Schaf' und Rinder
Zu zählen, unsre Alpen abzumessen,
Den Hochflug und das Hochgewilde bannen   900
In unsern freien Wäldern, ihren Schlagbaum
An unsre Brücken, unsre Tore setzen,
Mit unsrer Armut ihre Länderkäufe,
Mit unserm Blute ihre Kriege zahlen –
– Nein, wenn wir unser Blut dran setzen sollen,   905
So sei's *für uns* – wohlfeiler kaufen wir
Die Freiheit als die Knechtschaft ein!

Rudenz.   Was können wir,
Ein Volk der Hirten, gegen Albrechts Heere!

Attinghausen.
Lern dieses Volk der Hirten kennen, Knabe!
Ich kenn's, ich hab es angeführt in Schlachten,   910
Ich hab es fechten sehn bei Favenz.
Sie sollen kommen, uns ein Joch aufzwingen,
Das wir entschlossen sind, *nicht* zu ertragen!
– O lerne fühlen, welches Stamms du bist!
Wirf nicht für eiteln Glanz und Flitterschein   915
Die echte Perle deines Wertes hin –
Das Haupt zu heißen eines *freien* Volks,
Das dir aus Liebe nur sich herzlich weiht,
Das treulich zu dir steht in Kampf und Tod –
Das sei dein Stolz, *des* Adels rühme dich –   920
Die angebornen Bande knüpfe fest,

Ans Vaterland, ans teure, schließ dich an,
Das halte fest mit deinem ganzen Herzen.
Hier sind die starken Wurzeln deiner Kraft;
Dort in der fremden Welt stehst du allein,   925
Ein schwankes Rohr, das jeder Sturm zerknickt.
O komm, du hast uns lang nicht mehr gesehn,
Versuch's mit uns nur *einen* Tag – nur heute
Geh nicht nach Altdorf – Hörst du? Heute nicht,
Den *einen* Tag nur schenke dich den Deinen!   930
(Er faßt seine Hand.)
R u d e n z.
Ich gab mein Wort – Laßt mich – Ich bin gebunden.
A t t i n g h a u s e n *(läßt seine Hand los, mit Ernst).*
Du bist gebunden – Ja, Unglücklicher!
Du bist's, doch nicht durch Wort und Schwur,
Gebunden bist du durch der Liebe Seile!
                    (Rudenz wendet sich weg.)
– Verbirg dich, wie du willst. Das Fräulein ist's,   935
Berta von Bruneck, die zur Herrenburg
Dich zieht, dich fesselt an des Kaisers Dienst.
Das Ritterfräulein willst du dir erwerben
Mit deinem Abfall von dem Land – Betrüg dich nicht!
Dich anzulocken, zeigt man dir die Braut,   940
Doch deiner Unschuld ist sie nicht beschieden.
R u d e n z. Genug hab ich gehört. Gehabt Euch wohl.
(Er geht ab.)
A t t i n g h a u s e n.
Wahnsinn'ger Jüngling, bleib! – Er geht dahin!
Ich kann ihn nicht erhalten, nicht erretten –
So ist der Wolfenschießen abgefallen   945
Von seinem Land – so werden andre folgen,
Der fremde Zauber reißt die Jugend fort,
Gewaltsam strebend über unsre Berge.
– O unglücksel'ge Stunde, da das Fremde
In diese still beglückten Täler kam,   950
Der Sitten fromme Unschuld zu zerstören!
– Das Neue dringt herein mit Macht, das Alte,
Das Würd'ge scheidet, andre Zeiten kommen,
Es lebt ein anders denkendes Geschlecht!
Was tu ich hier? Sie sind begraben alle,   955
Mit denen ich gewaltet und gelebt.

Unter der Erde schon liegt *meine* Zeit;
Wohl dem, der mit der *neuen* nicht mehr braucht zu leben!
(Geht ab.)

ZWEITE SZENE

Eine Wiese von hohen Felsen und Wald umgeben.
Auf den Felsen sind Steige mit Geländern, auch Leitern, von
denen man nachher die Landleute herabsteigen sieht. Im
Hintergrunde zeigt sich der See, über welchem anfangs ein
Mondregenbogen zu sehen ist. Den Prospekt schließen hohe
Berge, hinter welchen noch höhere Eisgebirge ragen. Es ist
völlig Nacht auf der Szene, nur der See und die weißen
Gletscher leuchten im Mondenlicht.

Melchtal, Baumgarten, Winkelried, Meier von Sarnen, Burk-
hart am Bühel, Arnold von Sewa, Klaus von der Flüe und
noch vier andere Landleute, alle bewaffnet.

M e l c h t a l *(noch hinter der Szene).*
    Der Bergweg öffnet sich, nur frisch *mir* nach!
    Den Fels erkenn ich und das Kreuzlein drauf,   960
    Wir sind am Ziel, hier ist das Rütli.
                (Treten auf mit Windlichtern.)
W i n k e l r i e d.   Horch!
S e w a. Ganz leer.
M e i e r.   's ist noch kein Landmann da. Wir sind
    Die ersten auf dem Platz, wir Unterwaldner.
M e l c h t a l. Wie weit ist's in der Nacht?
B a u m g a r t e n.   Der Feuerwächter
    Vom Selisberg hat eben zwei gerufen.   965
                (Man hört in der Ferne läuten.)
M e i e r. Still! Horch!
A m B ü h e l.   Das Mettenglöcklein in der Waldkapelle
    Klingt hell herüber aus dem Schwyzerland.
V o n d e r F l ü e.
    Die Luft ist rein und trägt den Schall so weit.
M e l c h t a l. Gehn einige und zünden Reisholz an,
    Daß es loh brenne, wenn die Männer kommen.   970
                (Zwei Landleute gehen.)
S e w a. 's ist eine schöne Mondennacht. Der See
    Liegt ruhig da als wie ein ebner Spiegel.

A m B ü h e l. Sie haben eine leichte Fahrt.
W i n k e l r i e d *(zeigt nach dem See).*   Ha seht!
  Seht dorthin! Seht ihr nichts?
M e i e r.   Was denn? – Ja wahrlich!
  Ein Regenbogen mitten in der Nacht!   975
M e l c h t a l. Es ist das Licht des Mondes, das ihn bildet.
V o n d e r F l ü e.
  Das ist ein seltsam wunderbares Zeichen!
  Es leben viele, die das nicht gesehn.
S e w a. Er ist doppelt, seht, ein blässerer steht drüber.
B a u m g a r t e n.
  Ein Nachen fährt soeben drunter weg.   980
M e l c h t a l. Das ist der Stauffacher mit seinem Kahn,
  Der Biedermann läßt sich nicht lang erwarten.
          (Geht mit Baumgarten nach dem Ufer.)
M e i e r. Die Urner sind es, die am längsten säumen.
A m B ü h e l. Sie müssen weit umgehen durchs Gebirg,
  Daß sie des Landvogts Kundschaft hintergehen.   985
(Unterdessen haben die zwei Landleute in der Mitte des
    Platzes ein Feuer angezündet.)
M e l c h t a l *(am Ufer).*
  Wer ist da? Gebt das Wort!
S t a u f f a c h e r *(von unten).*   Freunde des Landes.
(Alle gehen nach der Tiefe, den Kommenden entgegen. Aus
dem Kahn steigen Stauffacher, Itel Reding, Hans auf der
Mauer, Jörg im Hofe, Konrad Hunn, Ulrich der Schmied,
Jost von Weiler und noch drei andere Landleute, gleichfalls
           bewaffnet.)
A l l e *(rufen).* Willkommen!
(Indem die übrigen in der Tiefe verweilen und sich begrü-
ßen, kommt Melchtal mit Stauffacher vorwärts.)
M e l c h t a l.   O Herr Stauffacher! Ich hab ihn
  Gesehn, der *mich* nicht wiedersehen konnte!
  Die Hand hab ich gelegt auf seine Augen,
  Und glühend Rachgefühl hab ich gesogen   990
  Aus der erloschnen Sonne seines Blicks.
S t a u f f a c h e r.
  Sprecht nicht von Rache. Nicht Geschehnes rächen,
  Gedrohtem Übel wollen wir begegnen.
  – Jetzt sagt, was Ihr im Unterwaldner Land
  Geschafft und für gemeine Sach' geworben,   995

Wie die Landleute denken, wie Ihr selbst
Den Stricken des Verrats entgangen seid.
Melchtal.
    Durch der Surenen furchtbares Gebirg,
Auf weit verbreitet öden Eisesfeldern,
Wo nur der heisre Lämmergeier krächzt,   1000
Gelangt' ich zu der Alpentrift, wo sich
Aus Uri und vom Engelberg die Hirten
Anrufend grüßen und gemeinsam weiden,
Den Durst mir stillend mit der Gletscher Milch,
Die in den Runsen schäumend niederquillt.   1005
In den einsamen Sennhütten kehrt' ich ein,
Mein eigner Wirt und Gast, bis daß ich kam
Zu Wohnungen gesellig lebender Menschen.
– Erschollen war in diesen Tälern schon
Der Ruf des neuen Greuels, der geschehn,   1010
Und fromme Ehrfurcht schaffte mir mein Unglück
Vor jeder Pforte, wo ich wandernd klopfte.
Entrüstet fand ich diese graden Seelen
Ob dem gewaltsam neuen Regiment;
Denn so wie ihre Alpen fort und fort   1015
Dieselben Kräuter nähren, ihre Brunnen
Gleichförmig fließen, Wolken selbst und Winde
Den gleichen Strich unwandelbar befolgen,
So hat die alte Sitte hier vom Ahn
Zum Enkel unverändert fort bestanden,   1020
Nicht tragen sie verwegne Neuerung
Im altgewohnten gleichen Gang des Lebens.
– Die harten Hände reichten sie mir dar,
Von den Wänden langten sie die rost'gen Schwerter,
Und aus den Augen blitzte freudiges   1025
Gefühl des Muts, als ich die Namen nannte,
Die im Gebirg dem Landmann heilig sind,
Den Eurigen und Walter Fürsts – Was Euch
Recht würde dünken, schwuren sie zu tun,
Euch schwuren sie bis in den Tod zu folgen.   1030
– So eilt' ich sicher unterm heil'gen Schirm
Des Gastrechts von Gehöfte zu Gehöfte –
Und als ich kam ins heimatliche Tal,
Wo mir die Vettern viel verbreitet wohnen –
Als ich den Vater fand, beraubt und blind,   1035

Auf fremdem Stroh, von der Barmherzigkeit
Mildtät'ger Menschen lebend –
Stauffacher .   Herr im Himmel!
Melchtal.
  Da weint' ich nicht! Nicht in ohnmächt'gen Tränen
Goß ich die Kraft des heißen Schmerzens aus,
In tiefer Brust, wie einen teuren Schatz,   1040
Verschloß ich ihn und dachte nur auf Taten.
Ich kroch durch alle Krümmen des Gebirgs,
Kein Tal war so versteckt, ich späht' es aus;
Bis an der Gletscher eisbedeckten Fuß
Erwartet' ich und fand bewohnte Hütten,   1045
Und überall, wohin mein Fuß mich trug,
Fand ich den gleichen Haß der Tyrannei,
Denn bis an diese letzte Grenze selbst
Belebter Schöpfung, wo der starre Boden
Aufhört zu geben, raubt der Vögte Geiz –   1050
Die Herzen alle dieses biedern Volks
Erregt' ich mit dem Stachel meiner Worte,
Und unser sind sie all mit Herz und Mund.
Stauffacher. Großes habt Ihr in kurzer Frist geleistet.
Melchtal.
  Ich tat noch mehr. Die beiden Festen sind's,   1055
Roßberg und Sarnen, die der Landmann fürchtet,
Denn hinter ihren Felsenwällen schirmt
Der Feind sich leicht und schädiget das Land.
Mit eignen Augen wollt' ich es erkunden,
Ich war zu Sarnen und besah die Burg.   1060
Stauffacher. Ihr wagtet Euch bis in des Tigers Höhle?
Melchtal. Ich war verkleidet dort in Pilgerstracht,
Ich sah den Landvogt an der Tafel schwelgen –
Urteilt, ob ich mein Herz bezwingen kann:
Ich sah den Feind, und ich erschlug ihn nicht.   1065
Stauffacher.
  Fürwahr, das Glück war Eurer Kühnheit hold.
(Unterdessen sind die andern Landleute vorwärts gekom-
       men und nähern sich den beiden.)
Doch jetzo sagt mir, wer die Freunde sind
Und die gerechten Männer, die Euch folgten?
Macht mich bekannt mit ihnen, daß wir uns
Zutraulich nahen und die Herzen öffnen.   1070

M e i e r. Wer kennte *Euch* nicht, Herr, in den drei Landen?
    Ich bin der Mei'r von Sarnen, dies hier ist
    Mein Schwestersohn, der Struth von Winkelried.
S t a u f f a c h e r.
    Ihr nennt mir keinen unbekannten Namen.
    Ein Winkelried war's, der den Drachen schlug   1075
    Im Sumpf bei Weiler und sein Leben ließ
    In diesem Strauß.
W i n k e l r i e d.   Das war mein Ahn, Herr Werner.
M e l c h t a l *(zeigt auf zwei Landleute).*
    Die wohnen hinterm Wald, sind Klosterleute
    Vom Engelberg – Ihr werdet sie drum nicht
    Verachten, weil sie *eigne* Leute sind   1080
    Und nicht, wie wir, frei sitzen auf dem Erbe –
    Sie lieben 's Land, sind sonst auch wohl berufen.
S t a u f f a c h e r *(zu den beiden).*
    Gebt mir die Hand. Es preise sich, wer keinem
    Mit seinem Leibe pflichtig ist auf Erden,
    Doch Redlichkeit gedeiht in jedem Stande.   1085
K o n r a d H u n n.
    Das ist Herr Reding, unser Altlandammann.
M e i e r. Ich kenn ihn wohl. Er ist mein Widerpart,
    Der um ein altes Erbstück mit mir rechtet.
    – Herr Reding, wir sind Feinde vor Gericht,
    Hier sind wir einig. *(Schüttelt ihm die Hand.)*
S t a u f f a c h e r.   Das ist brav gesprochen.   1090
W i n k e l r i e d.
    Hört ihr? Sie kommen. Hört das Horn von Uri!
(Rechts und links sieht man bewaffnete Männer mit Wind-
                lichtern die Felsen herabsteigen.)
A u f d e r M a u e r.
    Seht! Steigt nicht selbst der fromme Diener Gottes,
    Der würd'ge Pfarrer, mit herab? Nicht scheut er
    Des Weges Mühen und das Graun der Nacht,
    Ein treuer Hirte für das Volk zu sorgen.   1095
B a u m g a r t e n.
    Der Sigrist folgt ihm und Herr Walter Fürst,
    Doch nicht den Tell erblick ich in der Menge.
(Walter Fürst, Rösselmann der Pfarrer, Petermann der
Sigrist, Kuoni der Hirt, Werni der Jäger, Ruodi der Fischer
und noch fünf andere Landleute; alle zusammen, dreiund-

dreißig an der Zahl, treten vorwärts und stellen sich um
das Feuer.)

W a l t e r   F ü r s t. So müssen wir auf unserm eignen Erb'
   Und väterlichen Boden uns verstohlen
   Zusammenschleichen, wie die Mörder tun,   1100
   Und bei der Nacht, die ihren schwarzen Mantel
   Nur dem Verbrechen und der sonnenscheuen
   Verschwörung leihet, unser gutes Recht
   Uns holen, das doch lauter ist und klar,
   Gleichwie der glanzvoll offne Schoß des Tages.   1105
M e l c h t a l.
   Laßt's gut sein. Was die dunkle Nacht gesponnen,
   Soll frei und fröhlich an das Licht der Sonnen.
R ö s s e l m a n n.
   Hört, was mir Gott ins Herz gibt, Eidgenossen!
   Wir stehen hier statt einer Landsgemeinde
   Und können gelten für ein ganzes Volk: 1110
   So laßt uns tagen nach den alten Bräuchen
   Des Lands, wie wir's in ruhigen Zeiten pflegen;
   Was ungesetzlich ist in der Versammlung,
   Entschuldige die Not der Zeit. Doch Gott
   Ist überall, wo man das Recht verwaltet,   1115
   Und unter seinem Himmel stehen wir.
S t a u f f a c h e r.
   Wohl, laßt uns tagen nach der alten Sitte;
   Ist es gleich Nacht, so leuchtet unser Recht.
M e l c h t a l.
   Ist gleich die Zahl nicht voll, das *Herz* ist hier
   Des ganzen Volks, die *Besten* sind zugegen.   1120
K o n r a d   H u n n.
   Sind auch die alten Bücher nicht zur Hand,
   Sie sind in unsre Herzen eingeschrieben.
R ö s s e l m a n n. Wohlan, so sei der Ring sogleich gebildet,
   Man pflanze *auf* die Schwerter der Gewalt.
A u f   d e r   M a u e r.
   Der Landesammann nehme seinen Platz,   1125
   Und seine Weibel stehen ihm zur Seite!
S i g r i s t. Es sind der Völker dreie. Welchem nun
   Gebührt's, das Haupt zu geben der Gemeinde?
M e i e r. Um diese Ehr' mag Schwyz mit Uri streiten,
   Wir Unterwaldner stehen frei zurück.   1130

Melchtal. Wir stehn zurück, wir sind die Flehenden,
  Die Hilfe heischen von den mächt'gen Freunden.
Stauffacher.
  So nehme Uri denn das Schwert, sein Banner
  Zieht bei den Römerzügen uns voran.
Walter Fürst.
  Des Schwertes Ehre werde Schwyz zuteil,   1135
  Denn seines Stammes rühmen wir uns alle.
Rösselmann.
  Den edeln Wettstreit laßt mich freundlich schlichten:
  Schwyz soll im Rat, Uri im Felde führen.
Walter Fürst *(reicht dem Stauffacher die Schwerter).*
  So nehmt!
Stauffacher.   Nicht mir, dem Alter sei die Ehre.
Im Hofe.
  Die meisten Jahre zählt Ulrich der Schmied.   1140
Auf der Mauer.
  Der Mann ist wacker, doch nicht freien Stands,
  Kein eigner Mann kann Richter sein in Schwyz.
Stauffacher.
  Steht nicht Herr Reding hier, der Altlandammann?
  Was suchen wir noch einen Würdigern?
Walter Fürst.
  Er sei der Ammann und des Tages Haupt!   1145
  Wer dazu stimmt, erhebe seine Hände.
          (Alle heben die rechte Hand auf.)
Reding *(tritt in die Mitte).*
  Ich kann die Hand nicht auf die Bücher legen,
  So schwör ich droben bei den ew'gen Sternen,
  Daß ich mich nimmer will vom Recht entfernen.
(Man richtet die zwei Schwerter vor ihm auf, der Ring bildet sich um ihn her, Schwyz hält die Mitte, rechts stellt sich Uri und links Unterwalden. Er steht auf sein Schlachtschwert gestützt.)
  Was ist's, das die drei Völker des Gebirgs   1150
  Hier an des Sees unwirtlichem Gestade
  Zusammenführte in der Geisterstunde?
  Was soll der Inhalt sein des neuen Bunds,
  Den wir hier unterm Sternenhimmel stiften?
Stauffacher *(tritt in den Ring).*
  Wir stiften keinen neuen Bund, es ist   1155

Ein uralt Bündnis nur von Väter Zeit,
Das wir erneuern! Wisset, Eidgenossen!
Ob uns der See, ob uns die Berge scheiden
Und jedes Volk sich für sich selbst regiert,
So sind wir *eines* Stammes doch und Bluts,   1160
Und *eine* Heimat ist's, aus der wir zogen.
W i n k e l r i e d. So ist es wahr, wie's in den Liedern lautet,
Daß wir von fernher in das Land gewallt?
O teilt's uns mit, was Euch davon bekannt,
Daß sich der neue Bund am alten stärke.   1165
S t a u f f a c h e r. Hört, was die alten Hirten sich erzählen.
– Es war ein großes Volk, hinten im Lande
Nach Mitternacht, das litt von schwerer Teurung.
In dieser Not beschloß die Landsgemeinde,
Daß je der zehnte Bürger nach dem Los   1170
Der Väter Land verlasse – das geschah.
Und zogen aus, wehklagend, Männer und Weiber,
Ein großer Heerzug, nach der Mittagssonne,
Mit dem Schwert sich schlagend durch das deutsche Land,
Bis an das Hochland dieser Waldgebirge.   1175
Und eher nicht ermüdete der Zug,
Bis daß sie kamen in das wilde Tal,
Wo jetzt die Muotta zwischen Wiesen rinnt –
Nicht Menschenspuren waren hier zu sehen,
Nur eine Hütte stand am Ufer einsam,   1180
Da saß ein Mann und wartete der Fähre –
Doch heftig wogte der See und war
Nicht fahrbar; da besahen sie das Land
Sich näher und gewahrten schöne Fülle
Des Holzes und entdeckten gute Brunnen   1185
Und meinten, sich im lieben Vaterland
Zu finden – Da beschlossen sie zu bleiben,
Erbaueten den alten Flecken Schwyz
Und hatten manchen sauren Tag, den Wald
Mit weitverschlungnen Wurzeln auszuroden –   1190
Drauf, als der Boden nicht mehr Gnügen tat
Der Zahl des Volks, da zogen sie hinüber
Zum schwarzen Berg, ja bis ans Weißland hin,
Wo, hinter ew'gem Eiseswall verborgen,
Ein andres Volk in andern Zungen spricht.   1195
Den Flecken Stanz erbauten sie am Kernwald,

Den Flecken Altdorf in dem Tal der Reuß –
Doch blieben sie des Ursprungs stets gedenk;
Aus all den fremden Stämmen, die seitdem
In Mitte ihres Lands sich angesiedelt,   1200
Finden die Schwyzer Männer sich heraus,
Es gibt das Herz, das Blut sich zu erkennen.
(Reicht rechts und links die Hand hin.)
Auf der Mauer. Ja, wir sind *eines* Herzens, *eines* Bluts!
Alle *(sich die Hände reichend).*
Wir sind *ein* Volk, und einig wollen wir handeln.
Stauffacher. Die andern Völker tragen fremdes Joch,
Sie haben sich dem Sieger unterworfen.   1206
Es leben selbst in unsern Landesmarken
Der Sassen viel, die fremde Pflichten tragen,
Und ihre Knechtschaft erbt auf ihre Kinder.
Doch *wir*, der alten Schweizer echter Stamm,   1210
Wir haben stets die Freiheit uns bewahrt.
Nicht unter Fürsten bogen wir das Knie,
Freiwillig wählten wir den Schirm der Kaiser.
Rösselmann.
Frei wählten wir des Reiches Schutz und Schirm,
So steht's bemerkt in Kaiser Friedrichs Brief.   1215
Stauffacher. Denn herrenlos ist auch der Freiste nicht.
Ein Oberhaupt muß sein, ein höchster Richter,
Wo man das Recht mag schöpfen in dem Streit.
Drum haben unsre Väter für den Boden,
Den sie der alten Wildnis abgewonnen,   1220
Die Ehr' gegönnt dem Kaiser, der den Herrn
Sich nennt der deutschen und der welschen Erde,
Und, wie die andern Freien seines Reichs,
Sich ihm zu edelm Waffendienst gelobt:
Denn dieses ist der Freien einz'ge Pflicht,   1225
Das Reich zu schirmen, das sie selbst beschirmt.
Melchtal. Was drüber ist, ist Merkmal eines Knechts.
Stauffacher. Sie folgten, wenn der Heribann erging,
Dem Reichspanier und schlugen seine Schlachten.
Nach Welschland zogen sie gewappnet mit,   1230
Die Römerkron' ihm auf das Haupt zu setzen.
Daheim regierten sie sich fröhlich selbst
Nach altem Brauch und eigenem Gesetz,
Der höchste Blutbann war allein des Kaisers.

Und dazu ward bestellt ein großer Graf,   1235
Der hatte seinen Sitz nicht in dem Lande;
Wenn Blutschuld kam, so rief man ihn herein,
Und unter offnem Himmel, schlicht und klar,
Sprach er das Recht und ohne Furcht der Menschen.
Wo sind hier Spuren, daß wir Knechte sind?   1240
Ist einer, der es anders weiß, der rede!
I m H o f e. Nein, so verhält sich alles, wie Ihr sprecht,
Gewaltherrschaft ward nie bei uns geduldet.
S t a u f f a c h e r.
Dem Kaiser selbst versagten wir Gehorsam,
Da er das Recht zu Gunst der Pfaffen bog.   1245
Denn als die Leute von dem Gotteshaus
Einsiedeln uns die Alp in Anspruch nahmen,
Die wir beweidet seit der Väter Zeit,
Der Abt herfürzog einen alten Brief,
Der ihm die herrenlose Wüste schenkte –   1250
Denn unser Dasein hatte man verhehlt –
Da sprachen wir: »Erschlichen ist der Brief!
Kein Kaiser kann, was unser ist, verschenken.
Und wird uns Recht versagt vom Reich, wir können
In unsern Bergen auch des Reichs entbehren.«   1255
– So sprachen unsre Väter! Sollen *wir*
Des neuen Joches Schändlichkeit erdulden,
Erleiden von dem fremden Knecht, was uns
In seiner Macht kein Kaiser durfte bieten?
– Wir haben diesen Boden uns *erschaffen*   1260
Durch unsrer Hände Fleiß, den alten Wald,
Der sonst der Bären wilde Wohnung war,
Zu einem Sitz für Menschen umgewandelt,
Die Brut des Drachen haben wir getötet,
Der aus den Sümpfen giftgeschwollen stieg,   1265
Die Nebeldecke haben wir zerrissen,
Die ewig grau um diese Wildnis hing,
Den harten Fels gesprengt, über den Abgrund
Dem Wandersmann den sichern Steg geleitet;
Unser ist durch tausendjährigen Besitz   1270
Der Boden – und der fremde Herrenknecht
Soll kommen dürfen und uns Ketten schmieden
Und Schmach antun auf unsrer eignen Erde?
Ist keine Hilfe gegen solchen Drang?

(Eine große Bewegung unter den Landleuten.)
Nein, eine Grenze hat Tyrannenmacht: 1275
Wenn der Gedrückte nirgends Recht kann finden,
Wenn unerträglich wird die Last – greift er
Hinauf getrosten Mutes in den Himmel
Und holt herunter seine ew'gen Rechte,
Die droben hangen unveräußerlich   1280
Und unzerbrechlich, wie die Sterne selbst –
Der alte Urstand der Natur kehrt wieder,
Wo Mensch dem Menschen gegenübersteht –
Zum letzten Mittel, wenn kein andres mehr
Verfangen will, ist ihm das Schwert gegeben –   1285
Der Güter höchstes dürfen wir verteid'gen
Gegen Gewalt – Wir stehn vor unser Land,
Wir stehn vor unsre Weiber, unsre Kinder!
A l l e *(an ihre Schwerter schlagend).*
Wir stehn vor unsre Weiber, unsre Kinder!
R ö s s e l m a n n *(tritt in den Ring).*
Eh' ihr zum Schwerte greift, bedenkt es wohl.   1290
Ihr könnt es friedlich mit dem Kaiser schlichten.
Es kostet euch ein Wort, und die Tyrannen,
Die euch jetzt schwer bedrängen, schmeicheln euch.
– Ergreift, was man euch oft geboten hat,
Trennt euch vom Reich, erkennet Östreichs Hoheit –   1295
A u f d e r M a u e r.
Was sagt der Pfarrer? Wir zu Östreich schwören!
A m B ü h e l. Hört ihn nicht an!
W i n k e l r i e d.   Das rät uns ein Verräter,
Ein Feind des Landes!
R e d i n g.   Ruhig, Eidgenossen!
S e w a. Wir Östreich huldigen, nach solcher Schmach!
V o n d e r F l ü e.
Wir uns abtrotzen lassen durch Gewalt,   1300
Was wir der Güte weigerten!
M e i e r.   Dann wären
Wir Sklaven und verdienten, es zu sein!
A u f d e r M a u e r.
Der sei gestoßen aus dem Recht der Schweizer,
Wer von Ergebung spricht an Österreich!
– Landammann, ich bestehe drauf, dies sei   1305
Das erste Landsgesetz, das wir hier geben.

M e l c h t a l.
    So sei's. Wer von Ergebung spricht an Östreich,
    Soll rechtlos sein und aller Ehren bar,
    Kein Landmann nehm' ihn auf an seinem Feuer.
A l l e *(heben die rechte Hand auf)*.
    Wir wollen es, das sei Gesetz!
R e d i n g *(nach einer Pause)*. Es ist's.   1310
R ö s s e l m a n n.
    Jetzt seid ihr frei, ihr seid's durch dies Gesetz.
    Nicht durch Gewalt soll Österreich ertrotzen,
    Was es durch freundlich Werben nicht erhielt —
J o s t v o n W e i l e r.
    Zur Tagesordnung, weiter.
R e d i n g.   Eidgenossen!
    Sind alle sanften Mittel auch versucht?   1315
    Vielleicht weiß es der König nicht, es ist
    Wohl gar sein Wille nicht, was wir erdulden.
    Auch dieses letzte sollten wir versuchen,
    Erst unsre Klage bringen vor sein Ohr,
    Eh' wir zum Schwerte greifen. Schrecklich immer,   1320
    Auch in gerechter Sache, ist Gewalt;
    Gott hilft nur dann, wenn Menschen nicht mehr helfen.
S t a u f f a c h e r *(zu Konrad Hunn)*.
    Nun ist's an Euch, Bericht zu geben. Redet.
K o n r a d H u n n.
    Ich war zu Rheinfeld an des Kaisers Pfalz,
    Wider der Vögte harten Druck zu klagen,   1325
    Den Brief zu holen unsrer alten Freiheit,
    Den jeder neue König sonst bestätigt.
    Die Boten vieler Städte fand ich dort,
    Vom schwäb'schen Lande und vom Lauf des Rheins,
    Die all erhielten ihre Pergamente   1330
    Und kehrten freudig wieder in ihr Land.
    Mich, *euren* Boten, wies man an die Räte,
    Und die entließen mich mit leerem Trost:
    Der Kaiser habe diesmal keine Zeit,
    Er würde sonst einmal wohl an uns denken.   1335
    — Und als ich traurig durch die Säle ging
    Der Königsburg, da sah ich Herzog Hansen
    In einem Erker weinend stehn, um ihn
    Die edlen Herrn von Wart und Tegerfeld.

Die riefen mir und sagten: »Helft euch selbst,   1340
Gerechtigkeit erwartet nicht vom König.
Beraubt er nicht des eignen Bruders Kind
Und hinterhält ihm sein gerechtes Erbe?
Der Herzog fleht' ihn um sein Mütterliches,
Er habe seine Jahre voll, es wäre   1345
Nun Zeit, auch Land und Leute zu regieren.
Was ward ihm zum Bescheid? Ein Kränzlein setzt' ihm
Der Kaiser auf: das sei die Zier der Jugend.«
Auf der Mauer.
  Ihr habt's gehört. Recht und Gerechtigkeit
  Erwartet nicht vom Kaiser! Helft euch selbst!   1350
Reding. Nichts andres bleibt uns übrig. Nun gebt Rat,
  Wie wir es klug zum frohen Ende leiten.
Walter Fürst (tritt in den Ring).
  Abtreiben wollen wir verhaßten Zwang,
  Die alten Rechte, wie wir sie ererbt
  Von unsern Vätern, wollen wir bewahren,   1355
  Nicht ungezügelt nach dem Neuen greifen.
  Dem Kaiser bleibe, was des Kaisers ist,
  Wer einen Herrn hat, dien' ihm pflichtgemäß.
Meier. Ich trage Gut von Österreich zu Lehen.
Walter Fürst.
  Ihr fahret fort, Östreich die Pflicht zu leisten.   1360
Jost von Weiler.
  Ich steure an die Herrn von Rappersweil.
Walter Fürst.
  Ihr fahret fort, zu zinsen und zu steuern.
Rösselmann.
  Der großen Frau zu Zürch bin ich vereidet.
Walter Fürst.
  Ihr gebt dem Kloster, was des Klosters ist.
Stauffacher. Ich trage keine Lehen, als des Reichs. 1365
Walter Fürst.
  Was sein muß, das geschehe, doch nicht drüber.
  Die Vögte wollen wir mit ihren Knechten
  Verjagen und die festen Schlösser brechen,
  Doch, wenn es sein mag, ohne Blut. Es sehe
  Der Kaiser, daß wir notgedrungen nur   1370
  Der Ehrfurcht fromme Pflichten abgeworfen.
  Und sieht er uns in unsern Schranken bleiben,

Vielleicht besiegt er staatsklug seinen Zorn,
Denn bill'ge Furcht erwecket sich ein Volk,
Das mit dem Schwerte in der Faust sich *mäßigt.*   1375
R e d i n g. Doch lasset hören! *Wie* vollenden wir's?
Es hat der Feind die Waffen in der Hand,
Und nicht fürwahr in Frieden wird er weichen.
S t a u f f a c h e r.
Er wird's, wenn er in Waffen uns erblickt,
Wir überraschen ihn, eh' er sich rüstet.   1380
M e i e r. Ist bald gesprochen, aber schwer getan.
Uns ragen in dem Land zwei feste Schlösser,
Die geben Schirm dem Feind und werden furchtbar,
Wenn uns der König in das Land sollt' fallen.
Roßberg und Sarnen muß bezwungen sein,   1385
Eh' man ein Schwert erhebt in den drei Landen.
S t a u f f a c h e r.
Säumt man so lang', so wird der Feind gewarnt,
Zu viele sind's, die das Geheimnis teilen.
M e i e r. In den Waldstätten find't sich kein Verräter.
R ö s s e l m a n n.
Der Eifer auch, der gute, kann verraten.   1390
W a l t e r F ü r s t.
Schiebt man es auf, so wird der Twing vollendet
In Altdorf, und der Vogt befestigt sich.
M e i e r. Ihr denkt an *euch.*
S i g r i s t.   Und ihr seid ungerecht.
M e i e r *(auffahrend).*
Wir ungerecht! Das darf uns Uri bieten!
R e d i n g. Bei eurem Eide! Ruh'!
M e i e r.   Ja, wenn sich Schwyz 1395
Versteht mit Uri, müssen *wir* wohl schweigen.
R e d i n g. Ich muß euch weisen vor der Landsgemeinde,
Daß ihr mit heft'gem Sinn den Frieden stört!
Stehn wir nicht alle für dieselbe Sache?
W i n k e l r i e d.
Wenn wir's verschieben bis zum Fest des Herrn,   1400
Dann bringt's die Sitte mit, daß alle Sassen
Dem Vogt Geschenke bringen auf das Schloß;
So können zehen Männer oder zwölf
Sich unverdächtig in der Burg versammeln,
Die führen heimlich spitz'ge Eisen mit,   1405

Die man geschwind kann an die Stäbe stecken,
Denn niemand kommt mit Waffen in die Burg.
Zunächst im Wald hält dann der große Haufe,
Und wenn die andern glücklich sich des Tors
Ermächtiget, so wird ein Horn geblasen,   1410
Und jene brechen aus dem Hinterhalt.
So wird das Schloß mit leichter Arbeit unser.

M e l c h t a l. Den Roßberg übernehm ich zu ersteigen,
Denn eine Dirn' des Schlosses ist mir hold,
Und leicht betör ich sie, zum nächtlichen   1415
Besuch die schwanke Leiter mir zu reichen –
Bin ich droben erst, zieh ich die Freunde nach.

R e d i n g. Ist's aller Wille, daß verschoben werde?
          (Die Mehrheit erhebt die Hand.)
S t a u f f a c h e r *(zählt die Stimmen).*
Es ist ein Mehr von zwanzig gegen zwölf!

W a l t e r   F ü r s t.
Wenn am bestimmten Tag die Burgen fallen,   1420
So geben wir von einem Berg zum andern
Das Zeichen mit dem Rauch, der Landsturm wird
Aufgeboten, schnell, im Hauptort jedes Landes;
Wenn dann die Vögte sehn der Waffen Ernst,
Glaubt mir, sie werden sich des Streits begeben   1425
Und gern ergreifen friedliches Geleit,
Aus unsern Landesmarken zu entweichen.

S t a u f f a c h e r.
Nur mit dem Geßler fürcht ich schweren Stand:
Furchtbar ist er mit Reisigen umgeben,
Nicht ohne Blut räumt er das Feld, ja selbst   1430
Vertrieben bleibt er furchtbar noch dem Land;
Schwer ist's und fast gefährlich, ihn zu schonen.

B a u m g a r t e n. Wo's halsgefährlich ist, da stellt *mich* hin!
Dem Tell verdank ich mein gerettet Leben,
Gern schlag ich's in die Schanze für das Land: 1435
Mein' Ehr' hab ich beschützt, mein Herz befriedigt.

R e d i n g. Die Zeit bringt Rat. Erwartet's in Geduld.
Man muß dem Augenblick auch was vertrauen.
– Doch seht, indes wir nächtlich hier noch tagen,
Stellt auf den höchsten Bergen schon der Morgen   1440
Die glühnde Hochwacht aus – Kommt, laßt uns scheiden,
Eh' uns des Tages Leuchten überrascht.

Walter Fürst.
Sorgt nicht, die Nacht weicht langsam aus den Tälern.
(Alle haben unwillkürlich die Hüte abgenommen und betrachten mit stiller Sammlung die Morgenröte.)
Rösselmann. Bei diesem Licht, das uns zuerst begrüßt
Von allen Völkern, die tief unter uns   1445
Schwer atmend wohnen in dem Qualm der Städte,
Laßt uns den Eid des neuen Bundes schwören.
– Wir wollen sein ein einzig Volk von Brüdern,
In keiner Not uns trennen und Gefahr.
        (Alle sprechen es nach mit erhobenen drei Fingern.)
– Wir wollen frei sein, wie die Väter waren,   1450
Eher den Tod, als in der Knechtschaft leben.
                        (Wie oben.)
– Wir wollen trauen auf den höchsten Gott
Und uns nicht fürchten vor der Macht der Menschen.
        (Wie oben. Die Landleute umarmen einander.)
Stauffacher. Jetzt gehe jeder seines Weges still
Zu seiner Freundschaft und Genoßsame,   1455
Wer Hirt ist, wintre ruhig seine Herde
Und werb' im stillen Freunde für den Bund.
– *Was* noch bis dahin muß erduldet werden,
Erduldet's! Laßt die Rechnung der Tyrannen
Anwachsen, bis *ein* Tag die allgemeine   1460
Und die besondre Schuld auf einmal zahlt.
Bezähme jeder die gerechte Wut
Und spare für das Ganze seine Rache:
Denn Raub begeht am allgemeinen Gut,
Wer selbst sich hilft in seiner eignen Sache.   1465
(Indem sie zu drei verschiedenen Seiten in größter Ruhe abgehen, fällt das Orchester mit einem prachtvollen Schwung ein, die leere Szene bleibt noch eine Zeitlang offen und zeigt das Schauspiel der aufgehenden Sonne über den Eisgebirgen.)

DRITTER AUFZUG

ERSTE SZENE

Hof vor Tells Hause.

Tell ist mit der Zimmeraxt, Hedwig mit einer häuslichen Arbeit beschäftigt. Walter und Wilhelm in der Tiefe spielen mit einer kleinen Armbrust.

Walter *(singt).*

Mit dem Pfeil, dem Bogen,
Durch Gebirg und Tal
Kommt der Schütz gezogen
Früh am Morgenstrahl.

Wie im Reich der Lüfte   1470
König ist der Weih –
Durch Gebirg und Klüfte
Herrscht der Schütze frei.

Ihm gehört das Weite,
Was sein Pfeil erreicht,   1475
Das ist seine Beute,
Was da kreucht und fleugt.

(Kommt gesprungen.)
Der Strang ist mir entzwei. Mach mir ihn, Vater.

Tell. Ich nicht. Ein rechter Schütze hilft sich selbst.
(Knaben entfernen sich.)

Hedwig. Die Knaben fangen zeitig an, zu schießen. 1480

Tell. Früh übt sich, was ein Meister werden will.

Hedwig. Ach wollte Gott, sie lernten's nie!

Tell. Sie sollen alles lernen. Wer durchs Leben
Sich frisch will schlagen, muß zu Schutz und Trutz
Gerüstet sein.

Hedwig.   Ach, es wird keiner seine Ruh'   1485
Zu Hause finden.

Tell.   Mutter, ich kann's auch nicht;
Zum Hirten hat Natur mich nicht gebildet,
Rastlos muß ich ein flüchtig Ziel verfolgen.

Dann erst genieß' ich meines Lebens recht,
Wenn ich mir's jeden Tag aufs neu' erbeute. 1490
H e d w i g.
Und an die Angst der Hausfrau denkst du nicht,
Die sich indessen, deiner wartend, härmt;
Denn mich erfüllt's mit Grausen, was die Knechte
Von euren Wagefahrten sich erzählen.
Bei jedem Abschied zittert mir das Herz, 1495
Daß du mir nimmer werdest wiederkehren.
Ich sehe dich im wilden Eisgebirg,
Verirrt, von einer Klippe zu der andern
Den Fehlsprung tun, seh, wie die Gemse dich
Rückspringend mit sich in den Abgrund reißt, 1500
Wie eine Windlawine dich verschüttet,
Wie unter dir der trügerische Firn
Einbricht und du hinabsinkst, ein lebendig
Begrabner, in die schauerliche Gruft –
Ach, den verwegnen Alpenjäger hascht 1505
Der Tod in hundert wechselnden Gestalten;
Das ist ein unglückseliges Gewerb,
Das halsgefährlich führt am Abgrund hin!
T e l l. Wer frisch umherspäht mit gesunden Sinnen,
Auf Gott vertraut und die gelenke Kraft, 1510
Der ringt sich leicht aus jeder Fahr und Not:
Den schreckt der Berg nicht, der darauf geboren.
(Er hat seine Arbeit vollendet, legt das Gerät hinweg.)
Jetzt, mein ich, hält das Tor auf Jahr und Tag.
Die Axt im Haus erspart den Zimmermann.
(Nimmt den Hut.)
H e d w i g. Wo gehst du hin?
T e l l. Nach Altdorf, zu dem Vater. 1515
H e d w i g. Sinnst du auch nichts Gefährliches? Gesteh mir's.
T e l l. Wie kommst du darauf, Frau?
H e d w i g. Es spinnt sich etwas
Gegen die Vögte – Auf dem Rütli ward
Getagt, ich weiß, und du bist auch im Bunde.
T e l l. Ich war nicht mit dabei – doch werd ich mich 1520
Dem Lande nicht entziehen, wenn es ruft.
H e d w i g. Sie werden dich hinstellen, wo Gefahr ist,
Das Schwerste wird dein Anteil sein, wie immer.
T e l l. Ein jeder wird besteuert nach Vermögen.

H e d w i g. Den Unterwaldner hast du auch im Sturme 1525
    Über den See geschafft – Ein Wunder war's,
    Daß ihr entkommen – Dachtest du denn gar nicht
    An Kind und Weib?
T e l l.   Lieb Weib, ich dacht' an euch,
    Drum rettet' ich den Vater seinen Kindern.
H e d w i g.
    Zu schiffen in dem wüt'gen See! Das heißt   1530
    Nicht Gott vertrauen! Das heißt Gott versuchen.
T e l l. Wer gar zu viel bedenkt, wird wenig leisten.
H e d w i g. Ja, du bist gut und hilfreich, dienest allen,
    Und wenn du selbst in Not kommst, hilft dir keiner.
T e l l. Verhüt' es Gott, daß ich nicht Hilfe brauche.   1535
    (Er nimmt die Armbrust und Pfeile.)
H e d w i g. Was willst du mit der Armbrust? Laß sie hier.
T e l l. Mir fehlt der Arm, wenn mir die Waffe fehlt.
            (Die Knaben kommen zurück.)
W a l t e r. Vater, wo gehst du hin?
T e l l.   Nach Altdorf, Knabe,
    Zum Ehni – Willst du mit?
W a l t e r.   Ja freilich will ich.
H e d w i g.
    Der Landvogt ist jetzt dort. Bleib weg von Altdorf.   1540
T e l l. Er *geht*, noch heute.
H e d w i g.   Drum laß ihn erst fort sein.
    Gemahn ihn nicht an dich, du weißt, er grollt uns.
T e l l. Mir soll sein böser Wille nicht viel schaden,
    Ich tue Recht und scheue keinen Feind.
H e d w i g. Die Recht tun, eben die haßt er am meisten. 1545
T e l l. Weil er nicht an sie kommen kann – Mich wird
    Der Ritter wohl in Frieden lassen, mein' ich.
H e d w i g. So, weißt du das?
T e l l.   Es ist nicht lange her,
    Da ging ich jagen durch die wilden Gründe
    Des Schächentals auf menschenleerer Spur,   1550
    Und da ich einsam einen Felsensteig
    Verfolgte, wo nicht auszuweichen war,
    Denn über mir hing schroff die Felswand her,
    Und unten rauschte fürchterlich der Schächen –
(Die Knaben drängen sich rechts und links an ihn und sehen
    mit gespannter Neugier an ihm hinauf.)

Da kam der Landvogt gegen mich daher,   1555
Er ganz allein mit mir, der auch allein war,
Bloß Mensch zu Mensch, und neben uns der Abgrund.
Und als der Herre mein ansichtig ward
Und mich erkannte, den er kurz zuvor
Um kleiner Ursach' willen schwer gebüßt,   1560
Und sah mich mit dem stattlichen Gewehr
Daher geschritten kommen, da verblaßt' er,
Die Knie versagten ihm, ich sah es kommen,
Daß er jetzt an die Felswand würde sinken.
– Da jammerte mich sein, ich trat zu ihm   1565
Bescheidentlich und sprach: »Ich bin's, Herr Landvogt.«
Er aber konnte keinen armen Laut
Aus seinem Munde geben – Mit der Hand nur
Winkt' er mir schweigend, meines Wegs zu gehn;
Da ging ich fort und sandt' ihm sein Gefolge.   1570
H e d w i g. Er hat vor dir gezittert – Wehe dir!
Daß du ihn schwach gesehn, vergibt er nie.
T e l l. Drum meid ich ihn, und er wird *mich* nicht suchen.
H e d w i g. Bleib heute nur dort weg. Geh lieber jagen.
T e l l. Was fällt dir ein?
H e d w i g.   Mich ängstigt's. Bleibe weg.   1575
T e l l. Wie kannst du dich so ohne Ursach' quälen?
H e d w i g. *Weil's* keine Ursach' hat – Tell, bleibe hier.
T e l l. Ich hab's versprochen, liebes Weib, zu kommen.
H e d w i g. *Mußt* du, so geh – Nur lasse mir den Knaben!
W a l t e r. Nein, Mütterchen. Ich gehe mit dem Vater.   1580
H e d w i g. Wälti, verlassen willst du deine Mutter?
W a l t e r. Ich bring dir auch was Hübsches mit vom Ehni.
(Geht mit dem Vater.)
W i l h e l m. Mutter, ich bleibe bei dir!
H e d w i g *(umarmt ihn)*.   Ja, du bist
Mein liebes Kind, du bleibst mir noch allein!
*(Sie geht an das Hoftor und folgt den Abgehenden lange
mit den Augen.)*

ZWEITE SZENE

*Eine eingeschlossene wilde Waldgegend, Staubbäche stürzen
von den Felsen.*

Berta im Jagdkleid. Gleich darauf Rudenz.

B e r t a. Er folgt mir. Endlich kann ich mich erklären. 1585
R u d e n z *(tritt rasch ein).*
    Fräulein, jetzt endlich find ich Euch allein,
    Abgründe schließen rings umher uns ein,
    In dieser Wildnis fürcht ich keinen Zeugen,
    Vom Herzen wälz ich dieses lange Schweigen –
B e r t a. Seid Ihr gewiß, daß uns die Jagd nicht folgt? 1590
R u d e n z. Die Jagd ist dort hinaus – Jetzt oder nie!
    Ich muß den teuren Augenblick ergreifen –
    Entschieden sehen muß ich mein Geschick,
    Und sollt' es mich auf ewig von Euch scheiden.
    – O waffnet Eure güt'gen Blicke nicht 1595
    Mit dieser finstern Strenge – *Wer* bin ich,
    Daß ich den kühnen Wunsch zu Euch erhebe?
    Mich hat der Ruhm noch nicht genannt, ich darf
    Mich in die Reih' nicht stellen mit den Rittern,
    Die siegberühmt und glänzend Euch umwerben. 1600
    Nichts hab ich als mein Herz voll Treu und Liebe –
B e r t a *(ernst und streng).*
    Dürft Ihr von Liebe reden und von Treue,
    Der treulos wird an seinen nächsten Pflichten?
            (Rudenz tritt zurück.)
    Der Sklave Österreichs, der sich dem Fremdling
    Verkauft, dem Unterdrücker seines Volks? 1605
R u d e n z. Von Euch, mein Fräulein, hör ich diesen Vorwurf?
    Wen such ich denn als Euch auf jener Seite?
B e r t a. Mich denkt Ihr auf der Seite des Verrats
    Zu finden? Eher wollt' ich meine Hand
    Dem Geßler selbst, dem Unterdrücker schenken 1610
    Als dem naturvergeßnen Sohn der Schweiz,
    Der sich zu seinem Werkzeug machen kann!
R u d e n z. O Gott, was muß ich hören!
B e r t a.   Wie? Was liegt
    Dem guten Menschen näher als die Seinen?
    Gibt's schönre Pflichten für ein edles Herz, 1615
    Als ein Verteidiger der Unschuld sein,

Das Recht des Unterdrückten zu beschirmen?
– Die Seele blutet mir um Euer Volk,
Ich leide *mit* ihm, denn ich muß es lieben,
Das so bescheiden ist und doch voll Kraft;   1620
Es zieht mein ganzes Herz mich zu ihm hin,
Mit jedem Tage lern ich's mehr verehren.
– Ihr aber, den Natur und Ritterpflicht
Ihm zum geborenen Beschützer gaben,
Und der's *verläßt*, der treulos übertritt   1625
Zum Feind und Ketten schmiedet seinem Land,
Ihr seid's, der mich verletzt und kränkt; ich muß
Mein Herz bezwingen, daß ich Euch nicht hasse.

R u d e n z. Will ich denn nicht das Beste meines Volks?
Ihm unter Östreichs mächt'gem Zepter nicht   1630
Den Frieden –

B e r t a.   Knechtschaft wollt Ihr ihm bereiten!
Die Freiheit wollt Ihr aus dem letzten Schloß,
Das ihr noch auf der Erde blieb, verjagen.
Das Volk versteht sich besser auf sein Glück,
Kein Schein verführt sein sicheres Gefühl;   1635
Euch haben sie das Netz ums Haupt geworfen –

R u d e n z. Berta! Ihr haßt mich, Ihr verachtet mich!

B e r t a. Tät' ich's, mir wäre besser – Aber den
Verachtet *sehen* und verachtungswert,
Den man gern lieben möchte –

R u d e n z.   Berta! Berta!   1640
Ihr zeiget mir das höchste Himmelsglück
Und stürzt mich tief in *einem* Augenblick.

B e r t a. Nein, nein, das Edle ist nicht ganz erstickt
In Euch! Es schlummert nur, ich will es wecken;
Ihr müßt Gewalt ausüben an Euch selbst,   1645
Die angestammte Tugend zu ertöten,
Doch wohl Euch, sie ist mächtiger als Ihr,
Und trotz Euch selber seid Ihr gut und edel!

R u d e n z. Ihr glaubt an mich! O Berta, alles läßt
Mich Eure Liebe sein und werden!

B e r t a.   Seid,   1650
Wozu die herrliche Natur Euch machte!
Erfüllt den Platz, wohin sie Euch gestellt,
Zu Eurem Volke steht und Eurem Lande
Und kämpft für Euer heilig Recht.

R u d e n z.   Weh mir!
Wie kann ich Euch erringen, Euch besitzen,   1655
Wenn ich der Macht des Kaisers widerstrebe?
Ist's der Verwandten mächt'ger Wille nicht,
Der über Eure Hand tyrannisch waltet?
B e r t a. In den Waldstätten liegen meine Güter,
Und ist der Schweizer frei, so bin auch ich's.   1660
R u d e n z. Berta! welch einen Blick tut Ihr mir auf!
B e r t a.
Hofft nicht, durch Östreichs Gunst mich zu erringen;
Nach meinem Erbe strecken sie die Hand,
Das will man mit dem großen Erb' vereinen.
Dieselbe Ländergier, die eure Freiheit   1665
Verschlingen will, sie drohet auch der meinen!
– O Freund, zum Opfer bin ich ausersehn,
Vielleicht um einen Günstling zu belohnen –
Dort, wo die Falschheit und die Ränke wohnen,
Hin an den Kaiserhof will man mich ziehn,   1670
Dort harren mein verhaßter Ehe Ketten,
Die Liebe nur – die Eure kann mich retten!
R u d e n z. Ihr könntet Euch entschließen, hier zu leben,
In meinem Vaterlande mein zu sein?
O Berta, all mein Sehnen in das Weite,   1675
Was war es, als ein Streben nur nach Euch?
Euch sucht' ich einzig auf dem Weg des Ruhms,
Und all mein Ehrgeiz war nur meine Liebe.
Könnt Ihr mit mir Euch in dies stille Tal
Einschließen und der Erde Glanz entsagen –   1680
O dann ist meines Strebens Ziel gefunden,
Dann mag der Strom der wildbewegten Welt
Ans sichre Ufer dieser Berge schlagen –
Kein flüchtiges Verlangen hab ich mehr
Hinauszusenden in des Lebens Weiten –   1685
Dann mögen diese Felsen um uns her
Die undurchdringlich feste Mauer breiten,
Und dies verschloßne sel'ge Tal allein
Zum Himmel offen und gelichtet sein!
B e r t a. Jetzt bist du ganz, wie dich mein ahnend Herz 1690
Geträumt, mich hat mein Glaube nicht betrogen!
R u d e n z. Fahr hin, du eitler Wahn, der mich betört!
Ich soll das Glück in meiner Heimat finden.

Hier, wo der Knabe fröhlich aufgeblüht,
Wo tausend Freudespuren mich umgeben, 1695
Wo alle Quellen mir und Bäume leben,
Im Vaterland willst du die Meine werden!
Ach, wohl hab ich es stets geliebt! Ich fühl's,
Es fehlte mir zu jedem Glück der Erden.

B e r t a. Wo wär' die sel'ge Insel aufzufinden, 1700
Wenn sie nicht hier ist, in der Unschuld Land?
Hier, wo die alte Treue heimisch wohnt,
Wo sich die Falschheit noch nicht hingefunden,
Da trübt kein Neid die Quelle unsers Glücks,
Und ewig hell entfliehen uns die Stunden. 1705
– Da seh ich *dich* im echten Männerwert,
Den Ersten von den Freien und den Gleichen,
Mit reiner freier Huldigung verehrt,
Groß, wie ein König wirkt in seinen Reichen.

R u d e n z. Da seh ich dich, die Krone aller Frauen, 1710
In weiblich reizender Geschäftigkeit,
In meinem Haus den Himmel mir erbauen
Und, wie der Frühling seine Blumen streut,
Mit schöner Anmut mir das Leben schmücken
Und alles rings beleben und beglücken! 1715

B e r t a. Sieh, teurer Freund, warum ich trauerte,
Als ich dies höchste Lebensglück dich selbst
Zerstören sah – Weh mir! Wie stünd's um mich,
Wenn ich dem stolzen Ritter müßte folgen,
Dem Landbedrücker, auf sein finstres Schloß! 1720
– Hier ist kein Schloß. Mich scheiden keine Mauern
Von einem Volk, das ich beglücken kann!

R u d e n z. Doch wie mich retten – wie die Schlinge lösen,
Die ich mir töricht selbst ums Haupt gelegt?

B e r t a. Zerreiße sie mit männlichem Entschluß! 1725
Was auch draus werde – Steh zu deinem Volk!
Es ist dein angeborner Platz.
(Jagdhörner in der Ferne.)
Die Jagd
Kommt näher – Fort, wir müssen scheiden – Kämpfe
Fürs Vaterland, du kämpfst für deine Liebe!
Es ist *ein* Feind, vor dem wir alle zittern, 1730
Und *eine* Freiheit macht uns alle frei!
(Gehen ab.)

DRITTE SZENE

Wiese bei Altdorf. Im Vordergrund Bäume, in der Tiefe der
Hut auf einer Stange. Der Prospekt wird begrenzt durch den
Bannberg, über welchem ein Schneegebirg emporragt.

Frießhart und Leuthold halten Wache.

F r i e ß h a r t.
  Wir passen auf umsonst. Es will sich niemand
  Heran begeben und dem Hut sein' Reverenz
  Erzeigen. 's war doch sonst wie Jahrmarkt hier,
  Jetzt ist der ganze Anger wie verödet,   1735
  Seitdem der Popanz auf der Stange hängt.
L e u t h o l d.
  Nur schlecht Gesindel läßt sich sehn und schwingt
  Uns zum Verdrieße die zerlumpten Mützen.
  Was rechte Leute sind, die machen lieber
  Den langen Umweg um den halben Flecken,   1740
  Eh' sie den Rücken beugten vor dem Hut.
F r i e ß h a r t. Sie müssen über diesen Platz, wenn sie
  Vom Rathaus kommen in der Mittagstunde.
  Da meint' ich schon, 'nen guten Fang zu tun,
  Denn keiner dachte dran, den Hut zu grüßen,   1745
  Da sieht's der Pfaff, der Rösselmann – kam just
  Von einem Kranken her – und stellt sich hin
  Mit dem Hochwürdigen, grad' vor die Stange –
  Der Sigrist mußte mit dem Glöcklein schellen,
  Da fielen all' aufs Knie, ich selber mit,   1750
  Und grüßten die Monstranz, doch nicht den Hut. –
L e u t h o l d. Höre, Gesell, es fängt mir an, zu deuchten,
  Wir stehen hier am Pranger vor dem Hut;
  's ist doch ein Schimpf für einen Reitersmann,
  Schildwach zu stehn vor einem leeren Hut,   1755
  Und jeder rechte Kerl muß uns verachten.
  – Die Reverenz zu machen einem Hut,
  Es ist doch traun ein närrischer Befehl!
F r i e ß h a r t. Warum nicht einem leeren, hohlen Hut?
  Bückst du dich doch vor manchem hohlen Schädel.   1760
(Hildegard, Mechthild und Elsbeth treten auf mit Kindern
und stellen sich um die Stange.)
L e u t h o l d. Und du bist auch so ein dienstfert'ger Schurke
  Und brächtest wackre Leute gern ins Unglück.

Mag, wer da will, am Hut vorübergehn,
Ich drück die Augen zu und seh nicht hin.
Mechthild.
Da hängt der Landvogt – Habt Respekt, ihr Buben. 1765
Elsbeth.
Wollt's Gott, er ging' und ließ' uns seinen Hut,
Es sollte drum nicht schlechter stehn ums Land!
Frießhart *(verscheucht sie).*
Wollt ihr vom Platz! Verwünschtes Volk der Weiber!
Wer fragt nach euch? Schickt eure Männer her,
Wenn sie der Mut sticht, dem Befehl zu trotzen. 1770
(Weiber gehen.)
*(Tell mit der Armbrust tritt auf, den Knaben an der Hand
führend. Sie gehen an dem Hut vorbei gegen die vordere
Szene, ohne darauf zu achten.)*
Walter *(zeigt nach dem Bannberg).*
Vater, ist's wahr, daß auf dem Berge dort
Die Bäume bluten, wenn man einen Streich
Drauf führte mit der Axt?
Tell. Wer sagt das, Knabe?
Walter. Der Meister Hirt erzählt's – Die Bäume seien
Gebannt, sagt er, und wer sie schädige, 1775
Dem wachse seine Hand heraus zum Grabe.
Tell. Die Bäume sind gebannt, das ist die Wahrheit.
– Siehst du die Firnen dort, die weißen Hörner,
Die hoch bis in den Himmel sich verlieren?
Walter.
Das sind die Gletscher, die des Nachts so donnern 1780
Und uns die Schlaglawinen niedersenden.
Tell. So ist's, und die Lawinen hätten längst
Den Flecken Altdorf unter ihrer Last
Verschüttet, wenn der Wald dort oben nicht
Als eine Landwehr sich dagegen stellte. 1785
Walter *(nach einigem Besinnen).*
Gibt's Länder, Vater, wo *nicht* Berge sind?
Tell. Wenn man hinuntersteigt von unsern Höhen
Und immer tiefer steigt, den Strömen nach,
Gelangt man in ein großes ebnes Land,
Wo die Waldwasser nicht mehr brausend schäumen, 1790
Die Flüsse ruhig und gemächlich ziehn;
Da sieht man frei nach allen Himmelsräumen,

Das Korn wächst dort in langen schönen Auen,
Und wie ein Garten ist das Land zu schauen.
W a l t e r. Ei, Vater, warum steigen wir denn nicht   1795
Geschwind hinab in dieses schöne Land,
Statt daß wir uns hier ängstigen und plagen?
T e l l. Das Land ist schön und gütig, wie der Himmel,
Doch die's bebauen, sie genießen nicht
Den Segen, den sie pflanzen.
W a l t e r.   Wohnen sie   1800
Nicht frei wie du auf ihrem eignen Erbe?
T e l l. Das Feld gehört dem Bischof und dem König.
W a l t e r. So dürfen sie doch frei in Wäldern jagen?
T e l l. Dem Herrn gehört das Wild und das Gefieder.
W a l t e r. Sie dürfen doch frei fischen in dem Strom?   1805
T e l l. Der Strom, das Meer, das Salz gehört dem König.
W a l t e r. Wer *ist* der König denn, den alle fürchten?
T e l l. Es ist der *eine*, der sie schützt und nährt.
W a l t e r. Sie können sich nicht mutig selbst beschützen?
T e l l. Dort darf der Nachbar nicht dem Nachbar trauen.
W a l t e r. Vater, es wird mir eng im weiten Land;   1811
Da wohn ich lieber unter den Lawinen.
T e l l. Ja, wohl ist's besser, Kind, die Gletscherberge
Im Rücken haben als die bösen Menschen.
                (Sie wollen vorübergehen.)
W a l t e r. Ei, Vater, sieh den Hut dort auf der Stange. 1815
T e l l. Was kümmert uns der Hut? Komm, laß uns gehen.
*(Indem er abgehen will, tritt ihm Frießhart mit vorgehaltner
                Pike entgegen.)*
F r i e ß h a r t. In des Kaisers Namen! Haltet an und steht!
T e l l *(greift in die Pike).*
Was wollt Ihr? Warum haltet Ihr mich auf?
F r i e ß h a r t.
Ihr habt's Mandat verletzt, Ihr müßt uns folgen.
L e u t h o l d.
Ihr habt dem Hut nicht Reverenz bewiesen.   1820
T e l l. Freund, laß mich gehen.
F r i e ß h a r t.   Fort, fort ins Gefängnis!
W a l t e r. Den Vater ins Gefängnis! Hilfe! Hilfe!
(In die Szene rufend.)
Herbei, ihr Männer, gute Leute, helft,
Gewalt, Gewalt, sie führen ihn gefangen.

(Rösselmann der Pfarrer und Petermann der Sigrist kommen herbei, mit drei andern Männern.)

S i g r i s t. Was gibt's?

R ö s s e l m a n n. Was legst du Hand an diesen Mann? 1825

F r i e ß h a r t. Er ist ein Feind des Kaisers, ein Verräter!

T e l l *(faßt ihn heftig).*
    Ein Verräter, ich!

R ö s s e l m a n n. Du irrst dich, Freund, das ist
    Der Tell, ein Ehrenmann und guter Bürger.

W a l t e r *(erblickt Walter Fürsten und eilt ihm entgegen).*
    Großvater, hilf! Gewalt geschieht dem Vater.

F r i e ß h a r t. Ins Gefängnis, fort!

W a l t e r F ü r s t *(herbeieilend).*
                            Ich leiste Bürgschaft, haltet! 1830
    – Um Gottes willen, Tell, was ist geschehen?
            (Melchtal und Stauffacher kommen.)

F r i e ß h a r t. Des Landvogts oberherrliche Gewalt
    Verachtet er und will sie nicht erkennen.

S t a u f f a c h e r. Das hätt' der Tell getan?

M e l c h t a l.   Das lügst du, Bube!

L e u t h o l d.
    Er hat dem Hut nicht Reverenz bewiesen.   1835

W a l t e r F ü r s t.
    Und darum soll er ins Gefängnis? Freund,
    Nimm meine Bürgschaft an und laß ihn ledig.

F r i e ß h a r t. Bürg' du für dich und deinen eignen Leib!
    Wir tun, was unsers Amtes – Fort mit ihm!

M e l c h t a l *(zu den Landleuten).*
    Nein, das ist schreiende Gewalt! Ertragen wir's, 1840
    Daß man ihn fortführt, frech, vor unsern Augen?

S i g r i s t. Wir sind die Stärkern. Freunde, duldet's nicht,
    Wir haben einen Rücken an den andern!

F r i e ß h a r t. Wer widersetzt sich dem Befehl des Vogts?

N o c h d r e i L a n d l e u t e *(herbeieilend).*
    Wir helfen euch. Was gibt's? Schlagt sie zu Boden! 1845
    (Hildegard, Mechthild und Elsbeth kommen zurück.)

T e l l. Ich helfe mir schon selbst. Geht, gute Leute,
    Meint ihr, wenn ich die Kraft gebrauchen wollte,
    Ich würde mich vor ihren Spießen fürchten?

M e l c h t a l *(zu Frießhart).*
    Wag's, ihn aus unsrer Mitte wegzuführen!

Walter Fürst und **Stauffacher.**
  Gelassen! Ruhig!
Frießhart *(schreit).*   Aufruhr und Empörung!   1850
              (Man hört Jagdhörner.)
Weiber. Da kommt der Landvogt!
Frießhart *(erhebt die Stimme).*   Meuterei! Empörung!
Stauffacher. Schrei, bis du berstest, Schurke!
Rösselmann und **Melchtal.** Willst du schweigen?
Frießhart *(ruft noch lauter).*
  Zu Hilf', zu Hilf' den Dienern des Gesetzes!
Walter Fürst.
  Da ist der Vogt! Weh uns, was wird das werden!
(Geßler zu Pferd, den Falken auf der Faust, Rudolf der
Harras, Berta und Rudenz, ein großes Gefolge von bewaff-
neten Knechten, welche einen Kreis von Piken um die ganze
                  Szene schließen.)
Rudolf der Harras.
  Platz, Platz dem Landvogt!
Geßler.   Treibt sie auseinander!   1855
  Was läuft das Volk zusammen? Wer ruft Hilfe?
                  (Allgemeine Stille.)
  Wer war's? Ich will es wissen.
  (Zu Frießhart.)   Du tritt vor!
  Wer bist du, und was hältst du diesen Mann?
  (Er gibt den Falken einem Diener.)
Frießhart. Gestrenger Herr, ich bin dein Waffenknecht
  Und wohlbestellter Wächter bei dem Hut.   1860
  Diesen Mann ergriff ich über frischer Tat,
  Wie er dem Hut den Ehrengruß versagte.
  Verhaften wollt' ich ihn, wie du befahlst,
  Und mit Gewalt will ihn das Volk entreißen.
Geßler *(nach einer Pause).*
  Verachtest du *so* deinen Kaiser, Tell,   1865
  Und *mich*, der hier an seiner Statt gebietet,
  Daß du die Ehr' versagst dem Hut, den ich
  Zur Prüfung des Gehorsams aufgehangen?
  Dein böses Trachten hast du mir verraten.
Tell. Verzeiht mir, lieber Herr! Aus Unbedacht,   1870
  Nicht aus Verachtung Eurer ist's geschehn.
  Wär' ich besonnen, hieß' ich nicht der Tell —
  Ich bitt um Gnad', es soll nicht mehr begegnen.

G e ß l e r *(nach einigem Stillschweigen).*
   Du bist ein Meister auf der Armbrust, Tell,
   Man sagt, du nehmst es auf mit jedem Schützen?   1875
W a l t e r T e l l.
   Und das muß wahr sein, Herr – 'nen Apfel schießt
   Der Vater dir vom Baum auf hundert Schritte.
G e ß l e r. Ist das dein Knabe, Tell?
T e l l.   Ja, lieber Herr.
G e ß l e r. Hast du der Kinder mehr?
T e l l.   Zwei Knaben, Herr.
G e ß l e r. Und welcher ist's, den du am meisten liebst? 1880
T e l l. Herr, beide sind sie mir gleich liebe Kinder.
G e ß l e r.
   Nun, Tell! Weil du den Apfel triffst vom Baume
   Auf hundert Schritte, so wirst du deine Kunst
   Vor mir bewähren müssen – Nimm die Armbrust –
   Du hast sie gleich zur Hand – und mach dich fertig,   1885
   Einen Apfel von des Knaben Kopf zu schießen –
   Doch will ich raten, ziele gut, daß du
   Den Apfel treffest auf den ersten Schuß,
   Denn fehlst du ihn, so ist dein Kopf verloren.
       (Alle geben Zeichen des Schreckens.)
T e l l. Herr – Welches Ungeheuere sinnet Ihr   1890
   Mir an – Ich soll vom Haupte meines Kindes –
   – Nein, nein doch, lieber Herr, das kömmt Euch nicht
   Zu Sinn – Verhüt's der gnäd'ge Gott – das könnt Ihr
   Im Ernst von einem Vater nicht begehren!
G e ß l e r. Du wirst den Apfel schießen von dem Kopf 1895
   Des Knaben – Ich begehr's und will's.
T e l l.   Ich soll
   Mit meiner Armbrust auf das liebe Haupt
   Des eignen Kindes zielen – Eher sterb ich!
G e ß l e r. Du schießest oder stirbst *mit* deinem Knaben.
T e l l. Ich soll der Mörder werden meines Kinds!   1900
   Herr, Ihr habt keine Kinder – wisset nicht,
   Was sich bewegt in eines Vaters Herzen.
G e ß l e r. Ei, Tell, du bist ja plötzlich so besonnen!
   Man sagte mir, daß du ein Träumer seist
   Und dich entfernst von andrer Menschen Weise.   1905
   Du liebst das Seltsame – Drum hab ich jetzt
   Ein eigen Wagstück für dich ausgesucht.

Ein andrer wohl bedächte sich – *Du* drückst
Die Augen zu und greifst es herzhaft an.
B e r t a. Scherzt nicht, o Herr! mit diesen armen Leuten!
Ihr seht sie bleich und zitternd stehn – So wenig   1911
Sind sie Kurzweils gewohnt aus Eurem Munde.
G e ß l e r. Wer sagt Euch, daß ich scherze?
(Greift nach einem Baumzweige, der über ihn herhängt.)
                            Hier ist der Apfel.
Man mache Raum – Er nehme seine Weite,
Wie's Brauch ist – Achtzig Schritte geb ich ihm –   1915
Nicht weniger, noch mehr – Er rühmte sich,
Auf ihrer hundert seinen Mann zu treffen –
Jetzt, Schütze, triff und fehle nicht das Ziel!
R u d o l f d e r H a r r a s.
Gott, das wird ernsthaft – Falle nieder, Knabe,
Es gilt, und fleh den Landvogt um dein Leben.   1920
W a l t e r F ü r s t *(beiseite zu Melchtal, der kaum seine
Ungeduld bezwingt).*
Haltet an Euch, ich fleh Euch drum, bleibt ruhig.
B e r t a *(zum Landvogt).*
Laßt es genug sein, Herr! Unmenschlich ist's,
Mit eines Vaters Angst also zu spielen.
Wenn dieser arme Mann auch Leib und Leben
Verwirkt durch seine leichte Schuld, bei Gott!   1925
Er hätte jetzt zehnfachen Tod empfunden.
Entlaßt ihn ungekränkt in seine Hütte,
Er hat Euch kennenlernen; dieser Stunde
Wird er und seine Kindeskinder denken.
G e ß l e r. Öffnet die Gasse – Frisch! Was zauderst du? 1930
Dein Leben ist verwirkt, ich kann dich töten,
Und sieh, ich lege gnädig dein Geschick
In deine eigne kunstgeübte Hand.
Der kann nicht klagen über harten Spruch,
Den man zum Meister seines Schicksals macht.   1935
Du rühmst dich deines sichern Blicks! Wohlan!
Hier gilt es, *Schütze*, deine Kunst zu zeigen,
Das Ziel ist würdig, und der Preis ist groß!
Das Schwarze treffen in der Scheibe, *das*
Kann auch ein andrer – *der* ist mir der Meister,   1940
Der seiner Kunst gewiß ist überall,
Dem 's Herz nicht in die Hand tritt noch ins Auge.

Walter Fürst *(wirft sich vor ihm nieder).*
  Herr Landvogt, wir erkennen Eure Hoheit,
  Doch lasset Gnad' vor Recht ergehen, nehmt
  Die Hälfte meiner Habe, nehmt sie ganz,   1945
  Nur dieses Gräßliche erlasset einem Vater!
Walter Tell.
  Großvater, knie nicht vor dem falschen Mann!
  Sagt, wo ich hinstehn soll. Ich fürcht mich nicht,
  Der Vater trifft den Vogel ja im Flug,
  Er wird nicht fehlen auf das Herz des Kindes.   1950
Stauffacher.
  Herr Landvogt, rührt Euch nicht des Kindes Unschuld?
Rösselmann. O denket, daß ein Gott im Himmel ist,
  Dem Ihr müßt Rede stehn für Eure Taten.
Geßler *(zeigt auf den Knaben).*
  Man bind' ihn an die Linde dort!
Walter Tell.   Mich binden!
  Nein, ich will nicht gebunden sein. Ich will   1955
  Still halten wie ein Lamm, und auch nicht atmen.
  Wenn ihr mich bindet, nein, so kann ich's nicht,
  So werd ich toben gegen meine Bande.
Rudolf der Harras.
  Die Augen nur laß dir verbinden, Knabe.
Walter Tell. Warum die Augen? Denket Ihr, ich fürchte
  Den Pfeil von Vaters Hand? Ich will ihn fest   1961
  Erwarten und nicht zucken mit den Wimpern.
  – Frisch, Vater, zeig's, daß du ein Schütze bist!
  Er glaubt dir's nicht, er denkt uns zu verderben –
  Dem Wütrich zum Verdrusse, schieß und triff.   1965
  (Er geht an die Linde, man legt ihm den Apfel auf.)
Melchtal *(zu den Landleuten).*
  Was? Soll der Frevel sich vor unsern Augen
  Vollenden? Wozu haben wir geschworen?
Stauffacher. Es ist umsonst. Wir haben keine Waffen,
  Ihr seht den Wald von Lanzen um uns her.
Melchtal. O hätten wir's mit frischer Tat vollendet, 1970
  Verzeih's Gott denen, die zum Aufschub rieten!
Geßler *(zum Tell).*
  Ans Werk! Man führt die Waffen nicht vergebens.
  Gefährlich ist's, ein Mordgewehr zu tragen,
  Und auf den Schützen springt der Pfeil zurück.

Dies stolze Recht, das sich der Bauer nimmt,   1975
Beleidiget den höchsten Herrn des Landes.
Gewaffnet sei niemand, als wer gebietet.
Freut's euch, den Pfeil zu führen und den Bogen,
Wohl, so will *ich* das Ziel euch dazu geben.

T e l l *(spannt die Armbrust und legt den Pfeil auf).*
Öffnet die Gasse! Platz!   1980

S t a u f f a c h e r.
Was, Tell? Ihr wolltet – Nimmermehr – Ihr zittert,
Die Hand erbebt Euch, Eure Kniee wanken –

T e l l *(läßt die Armbrust sinken).*
Mir schwimmt es vor den Augen!

W e i b e r.   Gott im Himmel!

T e l l *(zum Landvogt).*
Erlasset mir den Schuß. Hier ist mein Herz!
(Er reißt die Brust auf.)
Ruft Eure Reisigen und stoßt mich nieder.   1985

G e ß l e r. Ich will dein Leben nicht, ich will den Schuß.
– Du kannst ja alles, Tell, an nichts verzagst du:
Das Steuerruder führst du wie den Bogen,
Dich schreckt kein Sturm, wenn es zu retten gilt –
Jetzt, Retter, hilf dir selbst – du rettest alle!   1990
*(Tell steht in fürchterlichem Kampf, mit den Händen zuk-
kend und die rollenden Augen bald auf den Landvogt, bald
zum Himmel gerichtet – Plötzlich greift er in seinen Köcher,
nimmt einen zweiten Pfeil heraus und steckt ihn in seinen
Goller. Der Landvogt bemerkt alle diese Bewegungen.)*

W a l t e r T e l l *(unter der Linde).*
Vater, schieß zu, ich fürcht mich nicht.

T e l l.   Es muß!
(Er rafft sich zusammen und legt an.)

R u d e n z *(der die ganze Zeit über in der heftigsten Span-
nung gestanden und mit Gewalt an sich gehalten, tritt
hervor).* Herr Landvogt, weiter werdet Ihr's nicht treiben,
Ihr werdet *nicht* – Es war nur eine Prüfung –
Den Zweck habt Ihr erreicht – Zu weit getrieben
Verfehlt die Strenge ihres weisen Zwecks,   1995
Und allzu straff gespannt zerspringt der Bogen.

G e ß l e r. Ihr schweigt, bis man Euch aufruft.

R u d e n z.   Ich *will* reden,
Ich darf's! Des Königs Ehre ist mir heilig,

Doch solches Regiment muß Haß erwerben.
Das ist des Königs Wille nicht – Ich darf's   2000
Behaupten – Solche Grausamkeit verdient
Mein Volk nicht, dazu habt Ihr keine Vollmacht.

G e ß l e r. Ha, Ihr erkühnt Euch!

R u d e n z.   Ich hab still geschwiegen
Zu allen schweren Taten, die ich sah;
Mein sehend Auge hab ich zugeschlossen,   2005
Mein überschwellend und empörtes Herz
Hab ich hinabgedrückt in meinen Busen.
Doch länger schweigen wär' Verrat zugleich
An meinem Vaterland und an dem Kaiser.

B e r t a *(wirft sich zwischen ihn und den Landvogt).*
O Gott, Ihr reizt den Wütenden noch mehr.   2010

R u d e n z. Mein Volk verließ ich, meinen Blutsverwandten
Entsagt' ich, alle Bande der Natur
Zerriß ich, um an Euch mich anzuschließen –
Das Beste aller glaubt' ich zu befördern,
Da ich des Kaisers Macht befestigte –   2015
Die Binde fällt von meinen Augen – Schaudernd
Seh ich an einen Abgrund mich geführt –
Mein freies Urteil habt Ihr irrgeleitet,
Mein redlich Herz verführt – Ich war daran,
Mein Volk in bester Meinung zu verderben.   2020

G e ß l e r. Verwegner, diese Sprache deinem Herrn?

R u d e n z. Der Kaiser ist mein Herr, nicht Ihr – Frei bin ich
Wie Ihr geboren, und ich messe mich
Mit Euch in jeder ritterlichen Tugend.
Und stündet Ihr nicht hier in Kaisers Namen,   2025
Den ich verehre, selbst wo man ihn schändet,
Den Handschuh wärf' ich vor Euch hin, Ihr solltet
Nach ritterlichem Brauch mir Antwort geben.
– Ja, winkt nur Euren Reisigen – Ich stehe
Nicht wehrlos da, wie *die* – *(auf das Volk zeigend)*
                              Ich hab ein Schwert,   2030
Und wer mir naht –

S t a u f f a c h e r *(ruft).* Der Apfel ist gefallen!

*(Indem sich alle nach dieser Seite gewendet und Berta zwi-
schen Rudenz und den Landvogt sich geworfen, hat Tell den
Pfeil abgedrückt.)*

R ö s s e l m a n n. Der Knabe lebt!

Viele Stimmen.   Der Apfel ist getroffen!
(Walter Fürst schwankt und droht zu sinken, Berta hält ihn.)
Geßler *(erstaunt).* Er hat geschossen? Wie? der Rasende!
Berta. Der Knabe lebt! kommt zu Euch, guter Vater!
Walter Tell *(kommt mit dem Apfel gesprungen).*
   Vater, hier ist der Apfel – Wußt' ich's ja,   2035
   Du würdest deinen Knaben nicht verletzen.
(Tell stand mit vorgebognem Leib, als wollt' er dem Pfeil
folgen – die Armbrust entsinkt seiner Hand – wie er den
Knaben kommen sieht, eilt er ihm mit ausgebreiteten Armen
entgegen und hebt ihn mit heftiger Inbrunst zu seinem Her-
zen hinauf, in dieser Stellung sinkt er kraftlos zusammen.
                    Alle stehen gerührt.)
Berta. O güt'ger Himmel!
Walter Fürst *(zu Vater und Sohn).*
                    Kinder! meine Kinder!
Stauffacher. Gott sei gelobt!
Leuthold.   Das war ein Schuß! Davon
   Wird man noch reden in den spätsten Zeiten.
Rudolf der Harras.
   Erzählen wird man von dem Schützen Tell,   2040
   Solang die Berge stehn auf ihrem Grunde.
   (Reicht dem Landvogt den Apfel.)
Geßler. Bei Gott! der Apfel mitten durchgeschossen!
   Es war ein Meisterschuß, ich muß ihn loben.
Rösselmann.
   Der Schuß war gut, doch wehe dem, der ihn
   Dazu getrieben, daß er Gott versuchte.   2045
Stauffacher.
   Kommt zu Euch, Tell, steht auf, Ihr habt Euch männlich
   Gelöst, und frei könnt Ihr nach Hause gehen.
Rösselmann.
   Kommt, kommt und bringt der Mutter ihren Sohn!
                    (Sie wollen ihn wegführen.)
Geßler. Tell, höre!
Tell *(kommt zurück).* Was befehlt Ihr, Herr?
Geßler.   Du stecktest
   Noch einen zweiten Pfeil zu dir – Ja, ja,   2050
   Ich sah es wohl – Was meintest du damit?
Tell *(verlegen).*
   Herr, das ist also bräuchlich bei den Schützen.

Geßler. Nein, Tell, die Antwort laß ich dir nicht gelten,
Es wird was anders wohl bedeutet haben.
Sag mir die Wahrheit frisch und fröhlich, Tell: 2055
Was es auch sei, dein Leben sichr' ich dir.
Wozu der zweite Pfeil?
Tell.   Wohlan, o Herr,
Weil Ihr mich meines Lebens habt gesichert,
So will ich Euch die Wahrheit gründlich sagen.
(Er zieht den Pfeil aus dem Goller und sieht den Land-
vogt mit einem furchtbaren Blick an.)
Mit diesem zweiten Pfeil durchschoß ich – Euch,   2060
Wenn ich mein liebes Kind getroffen hätte,
Und Eurer – wahrlich! hätt' ich nicht gefehlt.
Geßler. Wohl, Tell! Des Lebens hab ich dich gesichert,
Ich gab mein Ritterwort, das will ich halten –
Doch weil ich deinen bösen Sinn erkannt,   2065
Will ich dich führen lassen und verwahren,
Wo weder Mond noch Sonne dich bescheint,
Damit ich sicher sei vor deinen Pfeilen.
Ergreift ihn, Knechte! Bindet ihn!
(Tell wird gebunden.)
Stauffacher.   Wie, Herr?
So könntet Ihr an einem Manne handeln,   2070
An dem sich Gottes Hand sichtbar verkündigt?
Geßler. Laß sehn, ob sie ihn zweimal retten wird.
– Man bring' ihn auf mein Schiff, ich folge nach
Sogleich, ich selbst will ihn nach Küßnacht führen.
Rösselmann.
Ihr wollt ihn außer Lands gefangen führen?   2075
Landleute.
Das dürft Ihr nicht, das darf der Kaiser nicht,
Das widerstreitet unsern Freiheitsbriefen!
Geßler. Wo sind sie? Hat der Kaiser sie bestätigt?
Er hat sie nicht bestätigt – Diese Gunst
Muß erst erworben werden durch Gehorsam.   2080
Rebellen seid ihr alle gegen Kaisers
Gericht und nährt verwegene Empörung.
Ich kenn euch alle – ich durchschau euch ganz –
Den nehm ich jetzt heraus aus eurer Mitte,
Doch alle seid ihr teilhaft seiner Schuld: 2085
Wer klug ist, lerne schweigen und gehorchen.

(Er entfernt sich, Berta, Rudenz, Harras und Knechte folgen, Frießhart und Leuthold bleiben zurück.)
W a l t e r   F ü r s t *(in heftigem Schmerz).*
  Es ist vorbei; er hat's beschlossen, mich
  Mit meinem ganzen Hause zu verderben!
S t a u f f a c h e r *(zum Tell).*
  O warum mußtet Ihr den Wütrich reizen!
T e l l. Bezwinge sich, wer meinen Schmerz gefühlt!   2090
S t a u f f a c h e r. O nun ist alles, alles hin! Mit Euch
  Sind wir gefesselt alle und gebunden!
L a n d l e u t e *(umringen den Tell).*
  Mit Euch geht unser letzter Trost dahin!
L e u t h o l d *(nähert sich).*
  Tell, es erbarmt mich – doch ich muß gehorchen.
T e l l. Lebt wohl!
W a l t e r   T e l l *(sich mit heftigem Schmerz an ihn schmie-*
  gend).   O Vater! Vater! Lieber Vater!   2095
T e l l *(hebt die Arme zum Himmel).*
  Dort droben ist dein Vater! den ruf an!
S t a u f f a c h e r.
  Tell, sag ich Eurem Weibe nichts von Euch?
T e l l *(hebt den Knaben mit Inbrunst an seine Brust).*
  Der Knab' ist unverletzt, mir wird Gott helfen.
  (Reißt sich schnell los und folgt den Waffenknechten.)

VIERTER AUFZUG

ERSTE SZENE

Östliches Ufer des Vierwaldstättensees.
Die seltsam gestalteten schroffen Felsen im Westen schließen
den Prospekt. Der See ist bewegt, heftiges Rauschen und
Tosen, dazwischen Blitze und Donnerschläge.

Kunz von Gersau. Fischer und Fischerknabe.

K u n z. Ich sah's mit Augen an, Ihr könnt mir's glauben,
   's ist alles so geschehn, wie ich Euch sagte.   2100
F i s c h e r. Der Tell gefangen abgeführt nach Küßnacht,
   Der beste Mann im Land, der bravste Arm,
   Wenn's einmal gelten sollte für die Freiheit.
K u n z. Der Landvogt führt ihn selbst den See herauf;
   Sie waren eben dran, sich einzuschiffen,   2105
   Als ich von Flüelen abfuhr, doch der Sturm,
   Der eben jetzt im Anzug ist und der
   Auch mich gezwung, eilends hier zu landen,
   Mag ihre Abfahrt wohl verhindert haben.
F i s c h e r. Der Tell in Fesseln, in des Vogts Gewalt!   2110
   O glaubt, er wird ihn tief genug vergraben,
   Daß er des Tages Licht nicht wieder sieht!
   Denn fürchten muß er die gerechte Rache
   Des freien Mannes, den er schwer gereizt!
K u n z. Der Altlandammann auch, der edle Herr   2115
   Von Attinghausen, sagt man, lieg' am Tode.
F i s c h e r. So bricht der letzte Anker unsrer Hoffnung!
   Der war es noch allein, der seine Stimme
   Erheben durfte für des Volkes Rechte!
K u n z.
   Der Sturm nimmt überhand. Gehabt Euch wohl,   2120
   Ich nehme Herberg' in dem Dorf, denn heut
   Ist doch an keine Abfahrt mehr zu denken. *(Geht ab.)*
F i s c h e r. Der Tell gefangen und der Freiherr tot!
   Erheb die freche Stirne, Tyrannei,
   Wirf alle Scham hinweg! Der Mund der Wahrheit   2125

Ist stumm, das sehnde Auge ist geblendet,
Der Arm, der retten sollte, ist gefesselt!

K n a b e. Es hagelt schwer, kommt in die Hütte, Vater,
Es ist nicht kommlich, hier im Freien hausen.

F i s c h e r. Raset, ihr Winde, flammt herab, ihr Blitze! 2130
Ihr Wolken, berstet, gießt herunter, Ströme
Des Himmels, und ersäuft das Land! Zerstört
Im Keim die ungeborenen Geschlechter!
Ihr wilden Elemente werdet Herr,
Ihr Bären kommt, ihr alten Wölfe wieder   2135
Der großen Wüste, euch gehört das Land –
Wer wird hier leben wollen ohne Freiheit!

K n a b e. Hört, wie der Abgrund tost, der Wirbel brüllt,
So hat's noch nie gerast in diesem Schlunde!

F i s c h e r. Zu zielen auf des eignen Kindes Haupt,   2140
Solches ward keinem Vater noch geboten!
Und die Natur soll nicht in wildem Grimm
Sich drob empören – Oh, mich soll's nicht wundern,
Wenn sich die Felsen bücken in den See,
Wenn jene Zacken, jene Eisestürme,   2145
Die nie auftauten seit dem Schöpfungstag,
Von ihren hohen Kulmen niederschmelzen,
Wenn die Berge brechen, wenn die alten Klüfte
Einstürzen, eine zweite Sündflut alle
Wohnstätten der Lebendigen verschlingt!   2150
                (Man hört läuten.)

K n a b e. Hört Ihr, sie läuten droben auf dem Berg,
Gewiß hat man ein Schiff in Not gesehn
Und zieht die Glocke, daß gebetet werde.
(Steigt auf eine Anhöhe.)

F i s c h e r. Wehe dem Fahrzeug, das, jetzt unterwegs,
In dieser furchtbarn Wiege wird gewiegt!   2155
Hier ist das Steuer unnütz und der Steurer,
Der Sturm ist Meister, Wind und Welle spielen
Ball mit dem Menschen – Da ist nah und fern
Kein Busen, der ihm freundlich Schutz gewährte!
Handlos und schroff ansteigend starren ihm   2160
Die Felsen, die unwirtlichen, entgegen
Und weisen ihm nur ihre steinern schroffe Brust.

K n a b e *(deutet links).*
Vater, ein Schiff, es kommt von Flüelen her.

F i s c h e r. Gott helf' den armen Leuten! Wenn der Sturm
In dieser Wasserkluft sich erst verfangen,   2165
Dann rast er um sich mit des Raubtiers Angst,
Das an des Gitters Eisenstäbe schlägt;
Die Pforte sucht er heulend sich vergebens,
Denn ringsum schränken ihn die Felsen ein,
Die himmelhoch den engen Paß vermauern.   2170
(Er steigt auf die Anhöhe.)
K n a b e. Es ist das Herrenschiff von Uri, Vater,
Ich kenn's am roten Dach und an der Fahne.
F i s c h e r. Gerichte Gottes! Ja, er ist es selbst,
Der Landvogt, der da fährt – Dort schifft er hin
Und führt im Schiffe sein Verbrechen mit!   2175
Schnell hat der Arm des Rächers ihn gefunden,
Jetzt kennt er über sich den stärkern Herrn,
Diese Wellen geben nicht auf seine Stimme,
Diese Felsen bücken ihre Häupter nicht
Vor seinem Hute – Knabe, bete nicht,   2180
Greif nicht dem Richter in den Arm!
K n a b e. Ich bete für den Landvogt nicht – Ich bete
Für den Tell, der auf dem Schiff sich befindet.
F i s c h e r. O Unvernunft des blinden Elements!
Mußt du, um *einen* Schuldigen zu treffen,   2185
Das Schiff mitsamt dem Steuermann verderben!
K n a b e. Sieh, sieh, sie waren glücklich schon vorbei
Am Buggisgrat, doch die Gewalt des Sturms,
Der von dem Teufelsmünster widerprallt,
Wirft sie zum großen Axenberg zurück.   2190
– Ich seh sie nicht mehr.
F i s c h e r.   Dort ist das Hakmesser,
Wo schon der Schiffe mehrere gebrochen.
Wenn sie nicht weislich dort vorüberlenken,
So wird das Schiff zerschmettert an der Fluh,
Die sich gähstotzig absenkt in die Tiefe.   2195
– Sie haben einen guten Steuermann
Am Bord: könnt' *einer* retten, wär's der Tell;
Doch dem sind Arm' und Hände ja gefesselt.
*(Wilhelm Tell mit der Armbrust. Er kommt mit raschen
Schritten, blickt erstaunt umher und zeigt die heftigste Bewe-
gung. Wenn er mitten auf der Szene ist, wirft er sich nieder,
die Hände zu der Erde und dann zum Himmel ausbreitend.)*

K n a b e *(bemerkt ihn).*
  Sieh, Vater, wer der Mann ist, der dort kniet?
F i s c h e r. Er faßt die Erde an mit seinen Händen   2200
  Und scheint wie außer sich zu sein.
K n a b e *(kommt vorwärts).*
  Was seh ich! Vater! Vater, kommt und seht!
F i s c h e r *(nähert sich).*
  Wer ist es? – Gott im Himmel! Was! der Tell?
  Wie kommt Ihr hieher? Redet!
K n a b e.   Wart Ihr nicht
  Dort auf dem Schiff gefangen und gebunden?   2205
F i s c h e r. Ihr wurdet nicht nach Küßnacht abgeführt?
T e l l *(steht auf).* Ich bin befreit.
F i s c h e r und K n a b e.   Befreit! O Wunder Gottes!
K n a b e. Wo kommt Ihr her?
T e l l.   Dort aus dem Schiffe.
F i s c h e r.   Was?
K n a b e *(zugleich.)* Wo ist der Landvogt?
T e l l.   Auf den Wellen treibt er.
F i s c h e r. Ist's möglich? Aber *Ihr?* Wie seid Ihr hier?   2210
  Seid Euren Banden und dem Sturm entkommen?
T e l l. Durch Gottes gnäd'ge Fürsehung – Hört an!
F i s c h e r und K n a b e. O redet, redet!
T e l l.   Was in Altdorf sich
  Begeben, wißt ihr's?
F i s c h e r.   Alles weiß ich, redet!
T e l l. Daß mich der Landvogt fahen ließ und binden,   2215
  Nach seiner Burg zu Küßnacht wollte führen.
F i s c h e r. Und sich mit Euch zu Flüelen eingeschifft!
  Wir wissen alles, sprecht, wie Ihr entkommen?
T e l l. Ich lag im Schiff, mit Stricken fest gebunden,
  Wehrlos, ein aufgegebner Mann – nicht hofft' ich,   2220
  Das frohe Licht der Sonne mehr zu sehn,
  Der Gattin und der Kinder liebes Antlitz,
  Und trostlos blickt' ich in die Wasserwüste –
F i s c h e r. O armer Mann!
T e l l.   So fuhren wir dahin,
  Der Vogt, Rudolf der Harras und die Knechte,   2225
  Mein Köcher aber mit der Armbrust lag
  Am hintern Gransen bei dem Steuerruder.
  Und als wir an die Ecke jetzt gelangt

Beim kleinen Axen, da verhängt' es Gott,
Daß solch ein grausam mördrisch Ungewitter   2230
Gählings herfürbrach aus des Gotthards Schlünden,
Daß allen Ruderern das Herz entsank,
Und meinten alle, elend zu ertrinken.
Da hört' ich's, wie der Diener einer sich
Zum Landvogt wendet' und die Worte sprach: 2235
»Ihr sehet Eure Not und unsre, Herr,
Und daß wir all am Rand des Todes schweben –
Die Steuerleute aber wissen sich
Für großer Furcht nicht Rat und sind des Fahrens
Nicht wohl berichtet – Nun aber ist der Tell   2240
Ein starker Mann und weiß ein Schiff zu steuern –
Wie, wenn wir sein jetzt brauchten in der Not?«
Da sprach der Vogt zu mir: »Tell, wenn du dir's
Getrautest, uns zu helfen aus dem Sturm,
So möcht' ich dich der Bande wohl entled'gen.«   2245
Ich aber sprach: »Ja, Herr, mit Gottes Hilfe
Getrau ich mir's und helf uns wohl hiedannen.«
So ward ich meiner Bande los und stand
Am Steuerruder und fuhr redlich hin.
Doch schielt' ich seitwärts, wo mein Schießzeug lag,   2250
Und an dem Ufer merkt' ich scharf umher,
Wo sich ein Vorteil auftät' zum Entspringen.
Und wie ich eines Felsenriffs gewahre,
Das abgeplattet vorsprang in den See –
Fischer. Ich kenn's, es ist am Fuß des großen Axen, 2255
Doch nicht für möglich acht ich's – so gar steil
Geht's an – vom Schiff es springend abzureichen –
Tell. Schrie ich den Knechten, handlich zuzugehn,
Bis daß wir vor die Felsenplatte kämen,
Dort, rief ich, sei das Ärgste überstanden –   2260
Und als wir sie frischrudernd bald erreicht,
Fleh ich die Gnade Gottes an und drücke,
Mit allen Leibeskräften angestemmt,
Den hintern Gransen an die Felswand hin –
Jetzt, schnell mein Schießzeug fassend, schwing ich selbst
Hochspringend auf die Platte mich hinauf,   2266
Und mit gewalt'gem Fußstoß hinter mich
Schleudr' ich das Schifflein in den Schlund der Wasser –
Dort mag's, wie Gott will, auf den Wellen treiben!

So bin ich hier, gerettet aus des Sturms   2270
Gewalt und aus der schlimmeren der Menschen.

F i s c h e r. Tell, Tell, ein sichtbar Wunder hat der Herr
An Euch getan, kaum glaub ich's meinen Sinnen –
Doch saget! Wo gedenket Ihr jetzt hin?
Denn Sicherheit ist nicht für Euch, wofern   2275
Der Landvogt lebend diesem Sturm entkommt.

T e l l. Ich hört' ihn sagen, da ich noch im Schiff
Gebunden lag, er woll' bei Brunnen landen
Und über Schwyz nach seiner Burg mich führen.

F i s c h e r. Will er den Weg dahin zu Lande nehmen?   2280

T e l l. Er denkt's.

F i s c h e r.   O so verbergt Euch ohne Säumen,
Nicht zweimal hilft Euch Gott aus seiner Hand.

T e l l.
Nennt mir den nächsten Weg nach Arth und Küßnacht.

F i s c h e r. Die offne Straße zieht sich über Steinen,
Doch einen kürzern Weg und heimlichern   2285
Kann Euch mein Knabe über Lowerz führen.

T e l l (gibt ihm die Hand).
Gott lohn' Euch Eure Guttat. Lebet wohl.
(Geht und kehrt wieder um.)
– Habt Ihr nicht auch im Rütli mit geschworen?
Mir deucht, man nannt' Euch mir –

F i s c h e r.   Ich war dabei
Und hab den Eid des Bundes mit beschworen.   2290

T e l l. So eilt nach Bürglen, tut die Lieb' mir an,
Mein Weib verzagt um mich, verkündet ihr,
Daß ich gerettet sei und wohl geborgen.

F i s c h e r. Doch wohin sag ich ihr, daß Ihr geflohn?

T e l l. Ihr werdet meinen Schwäher bei ihr finden   2295
Und andre, die im Rütli mit geschworen –
Sie sollen wacker sein und gutes Muts:
Der Tell sei *frei* und seines Armes mächtig,
Bald werden sie ein Weiteres von mir hören.

F i s c h e r.
Was habt Ihr im Gemüt? Entdeckt mir's frei.   2300

T e l l. Ist es *getan*, wird's auch zur Rede kommen.
(Geht ab.)

F i s c h e r. Zeig ihm den Weg, Jenni – Gott steh' ihm bei!
Er führt's zum Ziel, was er auch unternommen. (Geht ab.)

ZWEITE SZENE

Edelhof zu Attinghausen.

Der Freiherr, in einem Armsessel, sterbend. Walter Fürst,
Stauffacher, Melchtal und Baumgarten um ihn beschäftigt.
Walter Tell, kniend vor dem Sterbenden.

W a l t e r   F ü r s t. Es ist vorbei mit ihm, er ist hinüber.
S t a u f f a c h e r.

    Er liegt nicht wie ein Toter – Seht, die Feder   2305
    Auf seinen Lippen regt sich! Ruhig ist
    Sein Schlaf, und friedlich lächeln seine Züge.
    (Baumgarten geht an die Türe und spricht mit jemand.)
W a l t e r   F ü r s t *(zu Baumgarten).*
    Wer ist's?
B a u m g a r t e n *(kommt zurück).*
            Es ist Frau Hedwig, Eure Tochter,
    Sie will Euch sprechen, will den Knaben sehn.
         (Walter Tell richtet sich auf.)
W a l t e r   F ü r s t.
    Kann ich sie trösten? Hab ich selber Trost?   2310
    Häuft alles Leiden sich auf meinem Haupt?
H e d w i g *(hereindringend).*
    Wo ist mein Kind? Laßt mich, ich muß es sehn –
S t a u f f a c h e r.
    Faßt Euch, bedenkt, daß Ihr im Haus des Todes –
H e d w i g *(stürzt auf den Knaben).*
    Mein Wälti! Oh, er lebt mir!
W a l t e r   T e l l *(hängt an ihr).* Arme Mutter!
H e d w i g. Ist's auch gewiß? Bist du mir unverletzt?   2315
    (Betrachtet ihn mit ängstlicher Sorgfalt.)
    Und ist es möglich? Konnt' er auf dich zielen?
    Wie konnt' er's? Oh, er hat kein Herz – Er konnte
    Den Pfeil abdrücken auf sein eignes Kind!
W a l t e r   F ü r s t.
    Er tat's mit Angst, mit schmerzzerrißner Seele,
    Gezwungen tat er's, denn es galt das Leben.   2320
H e d w i g. Oh, hätt' er eines Vaters Herz – eh' er's
    Getan, er wäre tausendmal gestorben!
S t a u f f a c h e r.
    Ihr solltet Gottes gnäd'ge Schickung preisen,
    Die es so gut gelenkt –

H e d w i g.   Kann ich vergessen,
   Wie's hätte kommen *können* – Gott des Himmels!   2325
   Und lebt' ich achtzig Jahr – Ich seh' den Knaben ewig
   Gebunden stehn, den Vater auf ihn zielen,
   Und ewig fliegt der Pfeil mir in das Herz.
M e l c h t a l. Frau, wüßtet Ihr, wie ihn der Vogt gereizt!
H e d w i g. O rohes Herz der Männer! Wenn ihr Stolz 2330
   Beleidigt wird, dann achten sie nichts mehr,
   Sie setzen in der blinden Wut des Spiels
   Das Haupt des Kindes und das Herz der Mutter!
B a u m g a r t e n. Ist Eures Mannes Los nicht hart genug,
   Daß Ihr mit schwerem Tadel ihn noch kränkt?   2335
   Für *seine* Leiden habt Ihr kein Gefühl?
H e d w i g *(kehrt sich nach ihm um und sieht ihn mit einem*
   großen Blick an).
   Hast du nur Tränen für des Freundes Unglück?
   – Wo waret ihr, da man den Trefflichen
   In Bande schlug? Wo war *da* eure Hilfe?
   Ihr sahet zu, ihr ließt das Gräßliche geschehn,   2340
   Geduldig littet ihr's, daß man den Freund
   Aus eurer Mitte führte – Hat der Tell
   Auch so an *euch* gehandelt? Stand er auch
   Bedauernd da, als hinter dir die Reiter
   Des Landvogts drangen, als der wüt'ge See   2345
   Vor dir erbrauste? Nicht mit müß'gen Tränen
   Beklagt' er dich, in den Nachen sprang er, Weib
   Und Kind vergaß er und befreite dich –
W a l t e r   F ü r s t.
   Was konnten wir zu seiner Rettung wagen,
   Die kleine Zahl, die unbewaffnet war!   2350
H e d w i g *(wirft sich an seine Brust)*.
   O Vater! Und auch du hast ihn verloren!
   Das Land, wir alle haben ihn verloren!
   Uns allen fehlt er, ach! wir fehlen ihm!
   Gott rette seine Seele vor Verzweiflung.
   Zu ihm hinab ins öde Burgverlies   2355
   Dringt keines Freundes Trost – Wenn er erkrankte!
   Ach, in des Kerkers feuchter Finsternis
   Muß er erkranken – Wie die Alpenrose
   Bleicht und verkümmert in der Sumpfesluft,
   So ist für *ihn* kein Leben als im Licht   2360

Der Sonne, in dem Balsamstrom der Lüfte.
Gefangen! Er! Sein Atem ist die Freiheit,
Er kann nicht leben in dem Hauch der Grüfte.
S t a u f f a c h e r. Beruhigt Euch. Wir alle wollen handeln,
  Um seinen Kerker aufzutun.   2365
H e d w i g. Was könnt *ihr* schaffen ohne ihn? – Solang
  Der Tell noch frei war, ja, *da* war noch Hoffnung,
  Da hatte noch die Unschuld einen Freund,
  Da hatte einen Helfer der Verfolgte,
  Euch alle rettete der Tell – Ihr alle   2370
  Zusammen könnt nicht *seine* Fesseln lösen!
          (Der Freiherr erwacht.)
B a u m g a r t e n.
  Er regt sich, still!
A t t i n g h a u s e n *(sich aufrichtend)*.
          Wo ist er?
S t a u f f a c h e r.   Wer?
A t t i n g h a u s e n.   Er fehlt mir,
  Verläßt mich in dem letzten Augenblick!
S t a u f f a c h e r.
  Er meint den Junker – Schickte man nach ihm?
W a l t e r F ü r s t.
  Es ist nach ihm gesendet – Tröstet Euch!   2375
  Er hat sein Herz gefunden, er ist unser.
A t t i n g h a u s e n. Hat er gesprochen für sein Vaterland?
S t a u f f a c h e r. Mit Heldenkühnheit.
A t t i n g h a u s e n.   Warum kommt er nicht,
  Um meinen letzten Segen zu empfangen?
  Ich fühle, daß es schleunig mit mir endet.   2380
S t a u f f a c h e r. Nicht also, edler Herr! Der kurze Schlaf
  Hat Euch erquickt, und hell ist Euer Blick.
A t t i n g h a u s e n.
  Der Schmerz ist Leben, er verließ mich auch;
  Das Leiden ist, so wie die Hoffnung, aus.
  (Er bemerkt den Knaben.)
  Wer ist der Knabe?
W a l t e r F ü r s t. Segnet ihn, o Herr!   2385
  Er ist mein Enkel und ist vaterlos.
(Hedwig sinkt mit dem Knaben vor dem Sterbenden nieder.)
A t t i n g h a u s e n. Und vaterlos laß ich euch alle, alle
  Zurück – Weh mir, daß meine letzten Blicke

Den Untergang des Vaterlands gesehn!
Mußt' ich des Lebens höchstes Maß erreichen,   2390
Um ganz mit allen Hoffnungen zu sterben!
Stauffacher *(zu Walter Fürst).*
Soll er in diesem finstern Kummer scheiden?
Erhellen wir ihm nicht die letzte Stunde
Mit schönem Strahl der Hoffnung? – Edler Freiherr!
Erhebet Euren Geist! Wir sind nicht ganz   2395
Verlassen, sind nicht rettungslos verloren.
Attinghausen. Wer soll euch retten?
Walter Fürst.   Wir uns selbst. Vernehmt!
Es haben die drei Lande sich das Wort
Gegeben, die Tyrannen zu verjagen.
Geschlossen ist der Bund, ein heil'ger Schwur   2400
Verbindet uns. Es wird gehandelt werden,
Eh' noch das Jahr den neuen Kreis beginnt,
Euer Staub wird ruhn in einem freien Lande.
Attinghausen. O saget mir! Geschlossen ist der Bund?
Melchtal. Am gleichen Tage werden alle drei   2405
Waldstätte sich erheben. Alles ist
Bereit und das Geheimnis wohlbewahrt
Bis jetzt, obgleich viel Hunderte es teilen.
Hohl ist der Boden unter den Tyrannen,
Die Tage ihrer Herrschaft sind gezählt,   2410
Und bald ist ihre Spur nicht mehr zu finden.
Attinghausen. Die festen Burgen aber in den Landen?
Melchtal. Sie fallen alle an dem gleichen Tag.
Attinghausen.
Und sind die Edeln dieses Bunds teilhaftig?
Stauffacher.
Wir harren ihres Beistands, wenn es gilt;   2415
Jetzt aber hat der Landmann nur geschworen.
Attinghausen *(richtet sich langsam in die Höhe mit
großem Erstaunen).*
Hat sich der Landmann solcher Tat verwogen,
Aus eignem Mittel, ohne Hilf' der Edeln,
Hat er der eignen Kraft so viel vertraut –
Ja, dann bedarf es unserer nicht mehr,   2420
Getröstet können wir zu Grabe steigen:
Es lebt *nach* uns – durch andre Kräfte will
Das Herrliche der Menschheit sich erhalten.

(Er legt seine Hand auf das Haupt des Kindes, das vor ihm auf den Knien liegt.)
Aus diesem Haupte, wo der Apfel lag,
Wird euch die neue beßre Freiheit grünen; 2425
Das Alte stürzt, es ändert sich die Zeit,
Und neues Leben blüht aus den Ruinen.
S t a u f f a c h e r *(zu Walter Fürst.)*
Seht, welcher Glanz sich um sein Aug' ergießt!
Das ist nicht das Erlöschen der Natur,
Das ist der Strahl schon eines neuen Lebens. 2430
A t t i n g h a u s e n. Der Adel steigt von seinen alten Burgen
Und schwört den Städten seinen Bürgereid;
Im Üchtland schon, im Thurgau hat's begonnen,
Die edle Bern erhebt ihr herrschend Haupt,
Freiburg ist eine sichre Burg der Freien, 2435
Die rege Zürich waffnet ihre Zünfte
Zum kriegerischen Heer – Es bricht die Macht
Der Könige sich an ihren ew'gen Wällen –
(Er spricht das Folgende mit dem Ton eines Sehers – seine Rede steigt bis zur Begeisterung.)
Die Fürsten seh ich und die edeln Herrn
In Harnischen herangezogen kommen, 2440
Ein harmlos Volk von Hirten zu bekriegen.
Auf Tod und Leben wird gekämpft, und herrlich
Wird mancher Paß durch blutige Entscheidung.
Der Landmann stürzt sich mit der nackten Brust,
Ein freies Opfer, in die Schar der Lanzen, 2445
Er bricht sie, und des Adels Blüte fällt,
Es hebt die Freiheit siegend ihre Fahne.
(Walter Fürsts und Stauffachers Hände fassend.)
Drum haltet fest zusammen – fest und ewig –
Kein Ort der Freiheit sei dem andern fremd –
Hochwachten stellet aus auf euren Bergen, 2450
Daß sich der Bund zum Bunde rasch versammle –
Seid einig – einig – einig –
(Er fällt in das Kissen zurück – seine Hände halten entseelt noch die andern gefaßt. Fürst und Stauffacher betrachten ihn noch eine Zeitlang schweigend, dann treten sie hinweg, jeder seinem Schmerz überlassen. Unterdessen sind die Knechte still hereingedrungen, sie nähern sich mit Zeichen eines stillern oder heftigern Schmerzens, einige knien bei ihm

nieder und weinen auf seine Hand; während dieser stum-
men Szene wird die Burgglocke geläutet.)
(Rudenz zu den Vorigen.)
R u d e n z *(rasch eintretend).*
  Lebt er? O saget, kann er mich noch hören?
W a l t e r F ü r s t *(deutet hin mit weggewandtem Gesicht).*
  Ihr seid jetzt unser Lehensherr und Schirmer,
  Und dieses Schloß hat einen andern Namen.   2455
R u d e n z *(erblickt den Leichnam und steht von heftigem*
  Schmerz ergriffen).
  O güt'ger Gott – Kommt meine Reu' zu spät?
  Konnt' er nicht wen'ge Pulse länger leben,
  Um mein geändert Herz zu sehn?
  Verachtet hab ich seine treue Stimme,
  Da er noch wandelte im Licht – Er ist   2460
  Dahin, ist fort auf immerdar und läßt mir
  Die schwere, unbezahlte Schuld! – O saget!
  Schied er dahin im Unmut gegen mich?
S t a u f f a c h e r. Er hörte sterbend noch, was Ihr getan,
  Und segnete den Mut, mit dem Ihr spracht!   2465
R u d e n z *(kniet an dem Toten nieder).*
  Ja, heil'ge Reste eines teuren Mannes!
  Entseelter Leichnam! hier gelob ich dir's
  In deine kalte Totenhand – Zerrissen
  Hab ich auf ewig alle fremden Bande,
  Zurückgegeben bin ich meinem Volk,   2470
  Ein Schweizer bin ich, und ich will es sein
  Von ganzer Seele – –
  (Aufstehend.)   Trauert um den Freund,
  Den Vater aller, doch verzaget nicht!
  Nicht bloß sein Erbe ist mir zugefallen,
  Es steigt sein Herz, sein Geist auf mich herab,   2475
  Und leisten soll euch meine frische Jugend,
  Was euch sein greises Alter schuldig blieb.
  – Ehrwürd'ger Vater, gebt mir Eure Hand!
  Gebt mir die Eurige! Melchtal, auch Ihr!
  Bedenkt Euch nicht! O wendet Euch nicht weg!   2480
  Empfanget meinen Schwur und mein Gelübde.
W a l t e r F ü r s t.
  Gebt ihm die Hand. Sein wiederkehrend Herz
  Verdient Vertraun.

M e l c h t a l.   Ihr habt den Landmann nichts geachtet.
  Sprecht, wessen soll man sich zu Euch versehn?
R u d e n z. O denket nicht des Irrtums meiner Jugend! 2485
S t a u f f a c h e r (zu Melchtal).
  Seid einig! war das letzte Wort des Vaters,
  Gedenket dessen!
M e l c h t a l.   Hier ist meine Hand!
  Des Bauern Handschlag, edler Herr, ist auch
  Ein Manneswort! Was ist der Ritter ohne uns?
  Und unser Stand ist älter als der Eure.   2490
R u d e n z. Ich ehr ihn, und mein Schwert soll ihn beschützen.
M e l c h t a l. Der Arm, Herr Freiherr, der die harte Erde
  Sich unterwirft und ihren Schoß befruchtet,
  Kann auch des Mannes Brust beschützen.
R u d e n z.   Ihr
  Sollt meine Brust, ich will die eure schützen,   2495
  So sind wir einer durch den andern stark.
  – Doch wozu reden, da das Vaterland
  Ein Raub noch ist der fremden Tyrannei?
  Wenn erst der Boden rein ist von dem Feind,
  Dann wollen wir's in Frieden schon vergleichen.   2500
  (Nachdem er einen Augenblick innegehalten.)
  Ihr schweigt? Ihr habt mir nichts zu sagen? Wie!
  Verdien ich's noch nicht, daß ihr mir vertraut?
  So muß ich wider euren Willen mich
  In das Geheimnis eures Bundes drängen.
  – Ihr habt getagt – geschworen auf dem Rütli –   2505
  Ich weiß – weiß alles, was ihr dort verhandelt;
  Und, was mir nicht von euch vertrauet ward,
  Ich hab's bewahrt gleich wie ein heilig Pfand.
  Nie war ich meines Landes Feind, glaubt mir,
  Und niemals hätt' ich gegen euch gehandelt.   2510
  – Doch übel tatet ihr, es zu verschieben,
  Die Stunde dringt, und rascher Tat bedarf's –
  Der Tell ward schon ein Opfer eures Säumens –
S t a u f f a c h e r.
  Das Christfest abzuwarten, schwuren wir.
R u d e n z.
  Ich war nicht dort, ich hab nicht mitgeschworen.   2515
  Wartet ihr ab, ich handle.
M e l c h t a l.   Was? Ihr wolltet –

R u d e n z. Des Landes Vätern zähl ich mich jetzt bei,
    Und meine erste Pflicht ist, euch zu schützen.
W a l t e r F ü r s t. Der Erde diesen teuren Staub zu geben,
    Ist Eure nächste Pflicht und heiligste.   2520
R u d e n z. Wenn wir das Land befreit, dann legen wir
    Den frischen Kranz des Siegs ihm auf die Bahre.
    – O Freunde! Eure Sache nicht allein,
    Ich habe meine eigne auszufechten
    Mit dem Tyrannen – Hört und wißt! Verschwunden 2525
    Ist meine Berta, heimlich weggeraubt,
    Mit kecker Freveltat, aus unsrer Mitte!
S t a u f f a c h e r. Solcher Gewalttat hätte der Tyrann
    Wider die freie Edle sich verwogen?
R u d e n z. O meine Freunde! Euch versprach ich Hilfe, 2530
    Und ich zuerst muß sie von euch erflehn.
    Geraubt, entrissen ist mir die Geliebte,
    Wer weiß, wo sie der Wütende verbirgt,
    Welcher Gewalt sie frevelnd sich erkühnen,
    Ihr Herz zu zwingen zum verhaßten Band!   2535
    Verlaßt mich nicht, o helft mir sie erretten –
    Sie liebt euch, o sie hat's verdient ums Land,
    Daß alle Arme sich für sie bewaffnen –
W a l t e r F ü r s t. Was wollt Ihr unternehmen?
R u d e n z.   Weiß ich's? Ach!
    In dieser Nacht, die ihr Geschick umhüllt,   2540
    In dieses Zweifels ungeheurer Angst,
    Wo ich nichts Festes zu erfassen weiß,
    Ist mir nur dieses in der Seele klar:
    Unter den Trümmern der Tyrannenmacht
    Allein kann sie hervorgegraben werden,   2545
    Die Festen alle müssen wir bezwingen,
    Ob wir vielleicht in ihren Kerker dringen.
M e l c h t a l.
    Kommt, führt uns an. Wir folgen Euch. Warum
    Bis morgen sparen, was wir heut vermögen?
    Frei war der Tell, als wir im Rütli schwuren,   2550
    Das Ungeheure war noch nicht geschehen.
    Es bringt die Zeit ein anderes Gesetz –
    Wer ist so feig, der jetzt noch könnte zagen!
R u d e n z *(zu Stauffacher und Walter Fürst).*
    Indes bewaffnet und zum Werk bereit

Erwartet ihr der Berge Feuerzeichen,   2555
Denn schneller, als ein Botensegel fliegt,
Soll euch die Botschaft unsers Siegs erreichen;
Und seht ihr leuchten die willkommnen Flammen,
Dann auf die Feinde stürzt, wie Wetters Strahl,
Und brecht den Bau der Tyrannei zusammen.   2560
(Gehen ab.)

DRITTE SZENE

Die hohle Gasse bei Küßnacht.
Man steigt von hinten zwischen Felsen herunter, und die
Wanderer werden, ehe sie auf der Szene erscheinen, schon
von der Höhe gesehen. Felsen umschließen die ganze Szene;
auf einem der vordersten ist ein Vorsprung mit Gesträuch
bewachsen.

T e l l *(tritt auf mit der Armbrust).*
Durch diese hohle Gasse muß er kommen,
Es führt kein andrer Weg nach Küßnacht – Hier
Vollend ich's – Die Gelegenheit ist günstig.
Dort der Holunderstrauch verbirgt mich ihm,
Von dort herab kann ihn mein Pfeil erlangen,   2565
Des Weges Enge wehret den Verfolgern.
Mach deine Rechnung mit dem Himmel, Vogt,
Fort mußt du, deine Uhr ist abgelaufen.

Ich lebte still und harmlos – Das Geschoß
War auf des Waldes Tiere nur gerichtet,   2570
Meine Gedanken waren rein von Mord –
Du hast aus meinem Frieden mich heraus
Geschreckt, in gärend Drachengift hast du
Die Milch der frommen Denkart mir verwandelt,
Zum Ungeheuren hast du mich gewöhnt –   2575
Wer sich des Kindes Haupt zum Ziele setzte,
Der kann auch treffen in das Herz des Feinds.

Die armen Kindlein, die unschuldigen,
Das treue Weib muß ich vor deiner Wut
Beschützen, Landvogt. – Da, als ich den Bogenstrang 2580
Anzog – als mir die Hand erzitterte –

Als du mit grausam teufelischer Lust
Mich zwangst, aufs Haupt des Kindes anzulegen –
Als ich ohnmächtig flehend rang vor dir,
Damals gelobt' ich mir in meinem Innern   2585
Mit furchtbarm Eidschwur, den nur Gott gehört,
Daß meines *nächsten* Schusses *erstes* Ziel
Dein Herz sein sollte – Was ich mir gelobt
In jenes Augenblickes Höllenqualen,
Ist eine heil'ge Schuld – ich will sie zahlen.   2590

Du bist mein Herr und meines Kaisers Vogt,
Doch nicht der Kaiser hätte sich erlaubt,
Was *du* – Er sandte dich in diese Lande,
Um Recht zu sprechen – strenges, denn er zürnet –
Doch nicht, um mit der mörderischen Lust   2595
Dich jedes Greuels straflos zu erfrechen:
Es lebt ein Gott, zu strafen und zu rächen.

Komm du hervor, du Bringer bittrer Schmerzen,
Mein teures Kleinod jetzt, mein höchster Schatz –
Ein Ziel will ich dir geben, das bis jetzt   2600
Der frommen Bitte undurchdringlich war –
Doch *dir* soll es nicht widerstehn – Und du,
Vertraute Bogensehne, die so oft
Mir treu gedient hat in der Freude Spielen,
Verlaß mich nicht im fürchterlichen Ernst.   2605
Nur jetzt noch halte fest, du treuer Strang,
Der mir so oft den herben Pfeil beflügelt –
Entränn' er jetzo kraftlos meinen Händen,
Ich habe keinen zweiten zu versenden.
                (Wanderer gehen über die Szene.)

Auf dieser Bank von Stein will ich mich setzen,   2610
Dem Wanderer zur kurzen Ruh' bereitet –
Denn hier ist keine Heimat – Jeder treibt
Sich an dem andern rasch und fremd vorüber
Und fraget nicht nach seinem Schmerz – Hier geht
Der sorgenvolle Kaufmann und der leicht   2615
Geschürzte Pilger – der andächt'ge Mönch,
Der düstre Räuber und der heitre Spielmann,
Der Säumer mit dem schwerbeladnen Roß,
Der ferne herkommt von der Menschen Ländern,

Denn jede Straße führt ans End' der Welt. 2620
Sie alle ziehen ihres Weges fort
An ihr Geschäft – und *meines* ist der Mord! *(Setzt sich.)*

Sonst, wenn der Vater auszog, liebe Kinder,
Da war ein Freuen, wenn er wiederkam;
Denn niemals kehrt' er heim, er bracht' euch etwas, 2625
War's eine schöne Alpenblume, war's
Ein seltner Vogel oder Ammonshorn,
Wie es der Wandrer findet auf den Bergen –
Jetzt geht er einem andern Weidwerk nach,
Am wilden Weg sitzt er mit Mordgedanken: 2630
Des Feindes Leben ist's, worauf er lauert.
– Und doch an *euch* nur denkt er, liebe Kinder,
Auch jetzt – Euch zu verteid'gen, eure holde Unschuld
Zu schützen vor der Rache des Tyrannen,
Will er zum Morde jetzt den Bogen spannen! *(Steht auf.)*

Ich laure auf ein edles Wild – Läßt sich's 2636
Der Jäger nicht verdrießen, tagelang
Umherzustreifen in des Winters Strenge,
Von Fels zu Fels den Wagesprung zu tun,
Hinanzuklimmen an den glatten Wänden, 2640
Wo er sich anleimt mit dem eignen Blut,
– Um ein armselig Grattier zu erjagen.
Hier gilt es einen köstlicheren Preis,
Das Herz des Todfeinds, der mich will verderben.
(Man hört von ferne eine heitre Musik, welche sich nähert.)
Mein ganzes Leben lang hab ich den Bogen 2645
Gehandhabt, mich geübt nach Schützenregel,
Ich habe oft geschossen in das Schwarze
Und manchen schönen Preis mir heimgebracht
Vom Freudenschießen – Aber heute will ich
Den *Meisterschuß* tun und das Beste mir 2650
Im ganzen Umkreis des Gebirgs gewinnen.
*(Eine Hochzeit zieht über die Szene und durch den Hohl-
weg hinauf. Tell betrachtet sie, auf seinen Bogen gelehnt,
Stüssi der Flurschütz gesellt sich zu ihm.)*
S t ü s s i. Das ist der Klostermei'r von Mörlischachen,
Der hier den Brautlauf hält – Ein reicher Mann,
Er hat wohl zehen Senten auf den Alpen.
Die Braut holt er jetzt ab zu Imisee, 2655

Und diese Nacht wird hoch geschwelgt zu Küßnacht.
Kommt mit! 's ist jeder Biedermann geladen.
Tell. Ein ernster Gast stimmt nicht zum Hochzeithaus.
Stüssi.
Drückt Euch ein Kummer, werft ihn frisch vom Herzen!
Nehmt mit, was kommt, die Zeiten sind jetzt schwer. 2660
Drum muß der Mensch die Freude leicht ergreifen.
Hier wird gefreit und anderswo begraben.
Tell. Und oft kommt gar das eine zu dem andern.
Stüssi. So geht die Welt nun. Es gibt allerwegen
Unglücks genug – Ein Ruffi ist gegangen   2665
Im Glarner Land, und eine ganze Seite
Vom Glärnisch eingesunken.
Tell.   Wanken auch
Die Berge selbst? Es steht nichts fest auf Erden.
Stüssi. Auch anderswo vernimmt man Wunderdinge.
Da sprach ich einen, der von Baden kam.   2670
Ein Ritter wollte zu dem König reiten,
Und unterwegs begegnet ihm ein Schwarm
Von Hornissen, die fallen auf sein Roß,
Daß es für Marter tot zu Boden sinkt
Und er zu Fuße ankommt bei dem König.   2675
Tell. Dem Schwachen ist sein Stachel auch gegeben.
*(Armgard kommt mit mehreren Kindern und stellt sich an
den Eingang des Hohlwegs.)*
Stüssi. Man deutet's auf ein großes Landesunglück,
Auf schwere Taten wider die Natur.
Tell. Dergleichen Taten bringet jeder Tag,
Kein Wunderzeichen braucht sie zu verkünden.   2680
Stüssi. Ja, wohl dem, der sein Feld bestellt in Ruh'
Und ungekränkt daheim sitzt bei den Seinen.
Tell. Es kann der Frömmste nicht im Frieden bleiben,
Wenn es dem bösen Nachbar nicht gefällt.
*(Tell sieht oft mit unruhiger Erwartung nach der Höhe
des Weges.)*
Stüssi.
Gehabt Euch wohl – Ihr wartet hier auf jemand?   2685
Tell. Das tu ich.
Stüssi.   Frohe Heimkehr zu den Euren!
– Ihr seid aus Uri? Unser gnäd'ger Herr
Der Landvogt wird noch heut von dort erwartet.

W a n d e r e r *(kommt).*
  Den Vogt erwartet heut nicht mehr. Die Wasser
  Sind ausgetreten von dem großen Regen,   2690
  Und alle Brücken hat der Strom zerrissen.
                    (Tell steht auf.)
A r m g a r d *(kommt vorwärts).*
  Der Landvogt kommt nicht!
S t ü s s i.   Sucht Ihr was an ihn?
A r m g a r d. Ach freilich!
S t ü s s i.   Warum stellet Ihr Euch denn
  In dieser hohlen Gass' ihm in den Weg?
A r m g a r d.
  Hier weicht er mir nicht aus, er muß mich hören.   2695
F r i e ß h a r t *(kommt eilfertig den Hohlweg herab und
  ruft in die Szene).*
  Man fahre aus dem Weg – Mein gnäd'ger Herr
  Der Landvogt kommt dicht hinter mir geritten.
                    (Tell geht ab.)
A r m g a r d *(lebhaft).*
  Der Landvogt kommt!
*(Sie geht mit ihren Kindern nach der vordern Szene. Geßler
und Rudolf der Harras zeigen sich zu Pferd auf der Höhe
des Wegs.)*
S t ü s s i *(zum Frießhart).* Wie kamt ihr durch das Wasser,
  Da doch der Strom die Brücken fortgeführt?
F r i e ß h a r t. Wir haben mit dem See gefochten, Freund,
  Und fürchten uns vor keinem Alpenwasser.   2701
S t ü s s i. Ihr wart zu Schiff in dem gewalt'gen Sturm?
F r i e ß h a r t. Das waren wir. Mein Lebtag denk ich dran –
S t ü s s i. O bleibt, erzählt!
F r i e ß h a r t.   Laßt mich, ich muß voraus,
  Den Landvogt muß ich in der Burg verkünden. *(Ab.)* 2705
S t ü s s i. Wär'n gute Leute auf dem Schiff gewesen,
  In Grund gesunken wär's mit Mann und Maus:
  Dem Volk kann weder Wasser bei noch Feuer.
  (Er sieht sich um.)
  Wo kam der Weidmann hin, mit dem ich sprach?
  (Geht ab.)
        (Geßler und Rudolf der Harras zu Pferd.)
G e ß l e r. Sagt, was Ihr wollt, ich bin des Kaisers Diener
  Und muß drauf denken, wie ich ihm gefalle.   2711

Er hat mich nicht ins Land geschickt, dem Volk
Zu schmeicheln und ihm sanft zu tun – Gehorsam
Erwartet er; der Streit ist, ob der Bauer
Soll Herr sein in dem Lande oder der Kaiser.   2715

A r m g a r d. Jetzt ist der Augenblick! Jetzt bring ich's an!
(Nähert sich furchtsam.)

G e ß l e r. Ich hab den Hut nicht aufgesteckt zu Altdorf
Des Scherzes wegen, oder um die Herzen
Des Volks zu prüfen; diese kenn ich längst.
  Ich hab ihn aufgesteckt, daß sie den Nacken   2720
Mir lernen beugen, den sie aufrecht tragen –
Das *Unbequeme* hab ich hingepflanzt
Auf ihren Weg, wo sie vorbeigehn müssen,
Daß sie drauf stoßen mit dem Aug' und sich
Erinnern ihres Herrn, den sie vergessen.   2725

R u d o l f d e r H a r r a s.
  Das Volk hat aber doch gewisse Rechte –

G e ß l e r. Die abzuwägen, ist jetzt keine Zeit!
  – Weitschicht'ge Dinge sind im Werk und Werden,
Das Kaiserhaus will wachsen; was der Vater
Glorreich begonnen, will der Sohn vollenden.   2730
Dies kleine Volk ist uns ein Stein im Weg –
So oder so – Es muß sich unterwerfen.
(Sie wollen vorüber. Die Frau wirft sich vor dem Landvogt
nieder.)

A r m g a r d.
  Barmherzigkeit, Herr Landvogt! Gnade! Gnade!

G e ß l e r. Was dringt Ihr Euch auf offner Straße mir
In Weg – Zurück!

A r m g a r d.   Mein Mann liegt im Gefängnis,   2735
Die armen Waisen schrein nach Brot – Habt Mitleid,
Gestrenger Herr, mit unserm großen Elend.

R u d o l f d e r H a r r a s.
  Wer seid Ihr? Wer ist Euer Mann?

A r m g a r d.   Ein armer
Wildheuer, guter Herr, vom Rigiberge,
Der überm Abgrund weg das freie Gras   2740
Abmäht von den schroffen Felsenwänden,
Wohin das Vieh sich nicht getraut zu steigen –

R u d o l f d e r H a r r a s *(zum Landvogt).*
  Bei Gott, ein elend und erbärmlich Leben!

Ich bitt Euch, gebt ihn los, den armen Mann,
Was er auch Schweres mag verschuldet haben,   2745
Strafe genug ist sein entsetzlich Handwerk.
(Zu der Frau.)
Euch soll Recht werden – Drinnen auf der Burg
Nennt Eure Bitte – hier ist nicht der Ort.

A r m g a r d. Nein, nein, ich weiche nicht von diesem Platz,
Bis mir der Vogt den Mann zurückgegeben!   2750
Schon in den sechsten Mond liegt er im Turm
Und harret auf den Richterspruch vergebens.

G e ß l e r. Weib, wollt Ihr mir Gewalt antun? Hinweg!

A r m g a r d. Gerechtigkeit, Landvogt! Du bist der Richter
Im Lande an des Kaisers Statt und Gottes.   2755
Tu deine Pflicht! So du Gerechtigkeit
Vom Himmel hoffest, so erzeig sie uns.

G e ß l e r. Fort, schafft das freche Volk mir aus den Augen.

A r m g a r d *(greift in die Zügel des Pferdes).*
Nein, nein, ich habe nichts mehr zu verlieren.
– Du kommst nicht von der Stelle, Vogt, bis du   2760
Mir Recht gesprochen – Falte deine Stirne,
Rolle die Augen, wie du willst – Wir sind
So grenzenlos unglücklich, daß wir nichts
Nach deinem Zorn mehr fragen –

G e ß l e r.   Weib, mach Platz,
Oder mein Roß geht über dich hinweg.   2765

A r m g a r d. Laß es über mich dahingehn – da –
*(Sie reißt ihre Kinder zu Boden und wirft sich mit ihnen
ihm in den Weg.)*   Hier lieg ich
Mit meinen Kindern – Laß die armen Waisen
Von deines Pferdes Huf zertreten werden,
Es ist das Ärgste nicht, was du getan –

R u d o l f d e r H a r r a s.
Weib, seid Ihr rasend?

A r m g a r d *(heftiger fortfahrend).*
                              Tratest du doch längst   2770
Das Land des Kaisers unter deine Füße!
– Oh, ich bin nur ein Weib! Wär' ich ein Mann,
Ich wüßte wohl was Besseres, als hier
Im Staub zu liegen –
*(Man hört die vorige Musik wieder auf der Höhe des Wegs,
aber gedämpft.)*

G e ß l e r.   Wo sind meine Knechte?
Man reiße sie von hinnen, oder ich   2775
Vergesse mich und tue, was mich reuet.
R u d o l f d e r H a r r a s.
Die Knechte können nicht hindurch, o Herr,
Der Hohlweg ist gesperrt durch eine Hochzeit.
G e ß l e r. Ein allzu milder Herrscher bin ich noch
Gegen dies Volk – die Zungen sind noch frei,   2780
Es ist noch nicht ganz, wie es soll, gebändigt –
Doch es soll anders werden, ich gelob es,
Ich will ihn brechen, diesen starren Sinn,
Den kecken Geist der Freiheit will ich beugen.
Ein neu Gesetz will ich in diesen Landen   2785
Verkündigen – Ich will –
(Ein Pfeil durchbohrt ihn, er fährt mit der Hand ans Herz
und will sinken. Mit matter Stimme.)
                              Gott sei mir gnädig!
R u d o l f d e r H a r r a s.
Herr Landvogt – Gott, was ist das? Woher kam das?
A r m g a r d *(auffahrend).*
Mord! Mord! Er taumelt, sinkt! Er ist getroffen!
Mitten ins Herz hat ihn der Pfeil getroffen!
R u d o l f d e r H a r r a s *(springt vom Pferde).*
Welch gräßliches Ereignis – Gott – Herr Ritter –   2790
Ruft die Erbarmung Gottes an – Ihr seid
Ein Mann des Todes! –
G e ß l e r.   Das ist Tells Geschoß.
(Ist vom Pferd herab dem Rudolf Harras in den Arm ge-
gleitet und wird auf der Bank niedergelassen.)
T e l l *(erscheint oben auf der Höhe des Felsen).*
Du kennst den Schützen, suche keinen andern!
Frei sind die Hütten, sicher ist die Unschuld
Vor dir, du wirst dem Lande nicht mehr schaden.   2795
(Verschwindet von der Höhe. Volk stürzt herein.)
S t ü s s i *(voran).* Was gibt es hier? Was hat sich zugetragen?
A r m g a r d.
Der Landvogt ist von einem Pfeil durchschossen.
V o l k *(im Hereinstürzen).* Wer ist erschossen?
(Indem die vordersten von dem Brautzug auf die Szene
kommen, sind die hintersten noch auf der Höhe, und die
Musik geht fort.)

R u d o l f   d e r   H a r r a s.   Er verblutet sich.
  Fort, schaffet Hilfe! Setzt dem Mörder nach!
  – Verlorner Mann, so muß es mit dir enden,   2800
  Doch meine Warnung wolltest du nicht hören!
S t ü s s i. Bei Gott! da liegt er bleich und ohne Leben!
V i e l e   S t i m m e n.
  Wer hat die Tat getan?
R u d o l f   d e r   H a r r a s.   Rast dieses Volk,
  Daß es dem Mord Musik macht? Laßt sie schweigen.
(Musik bricht plötzlich ab, es kommt noch mehr Volk nach.)
  Herr Landvogt, redet, wenn Ihr könnt – Habt Ihr   2805
  Mir nichts mehr zu vertraun?
(Geßler gibt Zeichen mit der Hand, die er mit Heftigkeit
  wiederholt, da sie nicht gleich verstanden werden.)
                              Wo soll ich hin?
  – Nach Küßnacht? – Ich versteh Euch nicht – O werdet
  Nicht ungeduldig – Laßt das Irdische,
  Denkt jetzt, Euch mit dem Himmel zu versöhnen.
(Die ganze Hochzeitgesellschaft umsteht den Sterbenden mit
  einem fühllosen Grausen.)
S t ü s s i.
  Sieh, wie er bleich wird – Jetzt, jetzt tritt der Tod   2810
  Ihm an das Herz – die Augen sind gebrochen.
A r m g a r d *(hebt ein Kind empor).*
  Seht, Kinder, wie ein Wüterich verscheidet!
R u d o l f   d e r   H a r r a s.
  Wahnsinn'ge Weiber, habt ihr kein Gefühl,
  Daß ihr den Blick an diesem Schrecknis weidet?
  – Helft – Leget Hand an – Steht mir niemand bei,   2815
  Den Schmerzenspfeil ihm aus der Brust zu ziehn?
W e i b e r *(treten zurück).*
  Wir ihn berühren, welchen Gott geschlagen!
R u d o l f   d e r   H a r r a s.
  Fluch treff euch und Verdammnis! *(Zieht das Schwert.)*
S t ü s s i *(fällt ihm in den Arm).*   Wagt es, Herr!
  Eu'r Walten hat ein Ende. Der Tyrann
  Des Landes ist gefallen. Wir erdulden   2820
  Keine Gewalt mehr. Wir sind freie Menschen.
A l l e *(tumultuarisch).* Das Land ist frei!
R u d o l f   d e r   H a r r a s.   Ist es dahin gekommen?
  Endet die Furcht so schnell und der Gehorsam?

(Zu den Waffenknechten, die hereindringen.)
Ihr seht die grausenvolle Tat des Mords,
Die hier geschehen – Hilfe ist umsonst –   2825
Vergeblich ist's, dem Mörder nachzusetzen.
Uns drängen andre Sorgen – Auf, nach Küßnacht,
Daß wir dem Kaiser seine Feste retten!
Denn aufgelöst in diesem Augenblick
Sind aller Ordnung, aller Pflichten Bande,   2830
Und keines Mannes Treu ist zu vertrauen.
(Indem er mit den Waffenknechten abgeht, erscheinen sechs
barmherzige Brüder.)
A r m g a r d.
    Platz! Platz! da kommen die barmherz'gen Brüder.
S t ü s s i. Das Opfer liegt – Die Raben steigen nieder.
B a r m h e r z i g e   B r ü d e r *(schließen einen Halbkreis*
    um den Toten und singen in tiefem Ton).
        Rasch tritt der Tod den Menschen an,
            Es ist ihm keine Frist gegeben;   2835
        Es stürzt ihn mitten in der Bahn,
            Es reißt ihn fort vom vollen Leben.
        Bereitet oder nicht, zu gehen,
        Er muß vor seinen Richter stehen!
(Indem die letzten Zeilen wiederholt werden, fällt der Vor-
hang.)

FÜNFTER AUFZUG

ERSTE SZENE

Öffentlicher Platz bei Altdorf.
Im Hintergrunde rechts die Feste Zwing Uri mit dem noch
stehenden Baugerüste, wie in der dritten Szene des ersten
Aufzugs; links eine Aussicht in viele Berge hinein, auf wel-
chen allen Signalfeuer brennen. Es ist eben Tagesanbruch,
Glocken ertönen aus verschiedenen Fernen.

Ruodi, Kuoni, Werni, Meister Steinmetz und viele andre
Landleute, auch Weiber und Kinder.

R u o d i. Seht ihr die Feuersignale auf den Bergen?   2840
S t e i n m e t z. Hört ihr die Glocken drüben überm Wald?
R u o d i. Die Feinde sind verjagt.
S t e i n m e t z.   Die Burgen sind erobert.
R u o d i. Und wir im Lande Uri dulden noch
  Auf unserm Boden das Tyrannenschloß?
  Sind wir die Letzten, die sich frei erklären?   2845
S t e i n m e t z.
  Das Joch soll stehen, das uns zwingen wollte?
  Auf, reißt es nieder!
A l l e.   Nieder! Nieder! Nieder!
R u o d i. Wo ist der Stier von Uri?
S t i e r   v o n   U r i.   Hier. Was soll ich?
R u o d i. Steigt auf die Hochwacht, blast in Euer Horn,
  Daß es weitschmetternd in die Berge schalle   2850
  Und, jedes Echo in den Felsenklüften
  Aufweckend, schnell die Männer des Gebirgs
  Zusammenrufe.
      (Stier von Uri geht ab. Walter Fürst kommt.)
W a l t e r   F ü r s t. Haltet, Freunde! Haltet!
  Noch fehlt uns Kunde, was in Unterwalden
  Und Schwyz geschehen. Laßt uns Boten erst   2855
  Erwarten.
R u o d i.   Was erwarten? Der Tyrann
  Ist tot, der Tag der Freiheit ist erschienen.

Steinmetz.
    Ist's nicht genug an diesen flammenden Boten,
    Die ringsherum auf allen Bergen leuchten?
Ruodi.
    Kommt alle, kommt, legt Hand an, Männer und Weiber!
    Brecht das Gerüste! Sprengt die Bogen! Reißt   2861
    Die Mauern ein! Kein Stein bleib' auf dem andern.
Steinmetz. Gesellen, kommt! Wir haben's aufgebaut,
    Wir wissen's zu zerstören.
Alle.   Kommt! Reißt nieder.
    (Sie stürzen sich von allen Seiten auf den Bau.)
Walter Fürst.
    Es ist im Lauf. Ich kann sie nicht mehr halten.   2865
            (Melchtal und Baumgarten kommen.)
Melchtal.
    Was? Steht die Burg noch, und Schloß Sarnen liegt
    In Asche, und der Roßberg ist gebrochen?
Walter Fürst.
    Seid Ihr es, Melchtal? Bringt Ihr uns die Freiheit?
    Sagt! Sind die Lande alle rein vom Feind?
Melchtal (umarmt ihn).
    Rein ist der Boden. Freut Euch, alter Vater!   2870
    In diesem Augenblicke, da wir reden,
    Ist kein Tyrann mehr in der Schweizer Land.
Walter Fürst.
    O sprecht, wie wurdet Ihr der Burgen mächtig?
Melchtal. Der Rudenz war es, der das Sarner Schloß
    Mit mannlich kühner Wagetat gewann,   2875
    Den Roßberg hatt' ich nachts zuvor erstiegen.
    – Doch höret, was geschah. Als wir das Schloß
    Vom Feind geleert, nun freudig angezündet,
    Die Flamme prasselnd schon zum Himmel schlug,
    Da stürzt der Diethelm, Geßlers Bub, hervor   2880
    Und ruft, daß die Bruneckerin verbrenne.
Walter Fürst.
    Gerechter Gott!
        (Man hört die Balken des Gerüstes stürzen.)
Melchtal.   Sie war es selbst, war heimlich
    Hier eingeschlossen auf des Vogts Geheiß.
    Rasend erhub sich Rudenz – denn wir hörten
    Die Balken schon, die festen Pfosten stürzen   2885

Und aus dem Rauch hervor den Jammerruf
Der Unglückseligen.
W a l t e r F ü r s t.   Sie ist gerettet?
M e l c h t a l. Da galt Geschwindsein und Entschlossenheit!
  – Wär' er *nur* unser Edelmann gewesen,
  Wir hätten unser Leben wohl geliebt,   2890
  Doch er war unser Eidgenoß, und Berta
  Ehrte das Volk – So setzten wir getrost
  Das Leben dran und stürzten in das Feuer.
W a l t e r F ü r s t. Sie ist gerettet?
M e l c h t a l.   Sie ist's. Rudenz und ich,
  Wir trugen sie selbander aus den Flammen,   2895
  Und hinter uns fiel krachend das Gebälk.
  – Und jetzt, als sie gerettet sich erkannte,
  Die Augen aufschlug zu dem Himmelslicht,
  Jetzt stürzte mir der Freiherr an das Herz,
  Und schweigend ward ein Bündnis jetzt beschworen, 2900
  Das, fest gehärtet in des Feuers Glut,
  Bestehen wird in allen Schicksalsproben –
W a l t e r F ü r s t. Wo ist der Landenberg?
M e l c h t a l.   Über den Brünig.
  Nicht lag's an mir, daß er das Licht der Augen
  Davontrug, der den Vater mir geblendet.   2905
  Nach jagt' ich ihm, erreicht' ihn auf der Flucht
  Und riß ihn zu den Füßen meines Vaters.
  Geschwungen über ihm war schon das Schwert –
  Von der Barmherzigkeit des blinden Greises
  Erhielt er flehend das Geschenk des Lebens.   2910
  Urfehde schwur er, nie zurückzukehren;
  Er wird sie halten, unsern Arm hat er
  Gefühlt.
W a l t e r F ü r s t. Wohl Euch, daß Ihr den reinen Sieg
  Mit Blute nicht geschändet!
K i n d e r *(eilen mit Trümmern des Gerüstes über die*
  Szene).   Freiheit! Freiheit!
      (Das Horn von Uri wird mit Macht geblasen.)
W a l t e r F ü r s t.
  Seht, welch ein Fest! Des Tages werden sich   2915
  Die Kinder spät als Greise noch erinnern.
*(Mädchen bringen den Hut auf einer Stange getragen, die
      ganze Szene füllt sich mit Volk an.)*

R u o d i. Hier ist der Hut, dem wir uns beugen mußten.
B a u m g a r t e n. Gebt uns Bescheid, was damit werden soll.
W a l t e r   F ü r s t.
    Gott! Unter diesem Hute stand mein Enkel!
M e h r e r e   S t i m m e n.
    Zerstört das Denkmal der Tyrannenmacht!   2920
    Ins Feuer mit ihm!
W a l t e r   F ü r s t.   Nein, laßt ihn aufbewahren!
    Der Tyrannei mußt' er zum Werkzeug dienen,
    Er soll der Freiheit ewig Zeichen sein!
*(Die Landleute, Männer, Weiber und Kinder stehen und
sitzen auf den Balken des zerbrochenen Gerüstes malerisch
gruppiert in einem großen Halbkreis umher.)*
M e l c h t a l. So stehen wir nun fröhlich auf den Trümmern
    Der Tyrannei, und herrlich ist's erfüllt,   2925
    Was wir im Rütli schwuren, Eidgenossen.
W a l t e r   F ü r s t.
    Das Werk ist angefangen, nicht vollendet.
    Jetzt ist uns Mut und feste Eintracht not,
    Denn seid gewiß, nicht säumen wird der König,
    Den Tod zu rächen seines Vogts und den   2930
    Vertriebnen mit Gewalt zurückzuführen.
M e l c h t a l. Er zieh' heran mit seiner Heeresmacht:
    Ist aus dem Innern doch der Feind verjagt,
    Dem Feind von außen wollen wir begegnen.
R u o d i. Nur wen'ge Pässe öffnen ihm das Land,   2935
    Die wollen wir mit unsern Leibern decken.
B a u m g a r t e n. Wir sind vereinigt durch ein ewig Band,
    Und seine Heere sollen uns nicht schrecken!
            (Rösselmann und Stauffacher kommen.)
R ö s s e l m a n n *(im Eintreten).*
    Das sind des Himmels furchtbare Gerichte.
L a n d l e u t e. Was gibt's?
R ö s s e l m a n n.   In welchen Zeiten leben wir! 2940
W a l t e r   F ü r s t.
    Sagt an, was ist es? – Ha, seid Ihr's, Herr Werner?
    Was bringt Ihr uns?
L a n d l e u t e.   Was gibt's?
R ö s s e l m a n n.   Hört und erstaunet!
S t a u f f a c h e r.
    Von einer großen Furcht sind wir befreit –

R ö s s e l m a n n. Der Kaiser ist ermordet.
W a l t e r   F ü r s t.   Gnäd'ger Gott!
(Landleute machen einen Aufstand und umdrängen den
Stauffacher.)
A l l e. Ermordet! Was! Der Kaiser! Hört! Der Kaiser! 2945
M e l c h t a l.
Nicht möglich! Woher kam Euch diese Kunde?
S t a u f f a c h e r.
Es ist gewiß. Bei Bruck fiel König Albrecht
Durch Mörders Hand – ein glaubenwerter Mann,
Johannes Müller, bracht' es von Schaffhausen.
W a l t e r   F ü r s t. Wer wagte solche grauenvolle Tat? 2950
S t a u f f a c h e r.
Sie wird noch grauenvoller durch den Täter.
Es war sein Neffe, seines Bruders Kind,
Herzog Johann von Schwaben, der's vollbrachte.
M e l c h t a l. Was trieb ihn zu der Tat des Vatermords?
S t a u f f a c h e r. Der Kaiser hielt das väterliche Erbe 2955
Dem ungeduldig Mahnenden zurück;
Es hieß, er denk' ihn ganz darum zu kürzen,
Mit einem Bischofshut ihn abzufinden.
Wie dem auch sei – der Jüngling öffnete
Der Waffenfreunde bösem Rat sein Ohr,   2960
Und mit den edeln Herrn von Eschenbach,
Von Tegerfelden, von der Wart und Palm
Beschloß er, da er Recht nicht konnte finden,
Sich Rach' zu holen mit der eignen Hand.
W a l t e r   F ü r s t.
O sprecht, wie ward das Gräßliche vollendet?   2965
S t a u f f a c h e r.
Der König ritt herab vom Stein zu Baden,
Gen Rheinfeld, wo die Hofstatt war, zu ziehn,
Mit ihm die Fürsten, Hans und Leopold,
Und ein Gefolge hochgeborner Herren.
Und als sie kamen an die Reuß, wo man   2970
Auf einer Fähre sich läßt übersetzen,
Da drängten sich die Mörder in das Schiff,
Daß sie den Kaiser vom Gefolge trennten.
Drauf, als der Fürst durch ein geackert Feld
Hinreitet – eine alte große Stadt   2975
Soll drunter liegen aus der Heiden Zeit –

Die alte Feste Habsburg im Gesicht,
Wo seines Stammes Hoheit ausgegangen –
Stößt Herzog Hans den Dolch ihm in die Kehle,
Rudolf von Palm durchrennt ihn mit dem Speer,   2980
Und Eschenbach zerspaltet ihm das Haupt,
Daß er heruntersinkt in seinem Blut,
Gemordet von den Seinen, *auf* dem Seinen.
Am andern Ufer sahen sie die Tat,
Doch, durch den Strom geschieden, konnten sie   2985
Nur ein ohnmächtig Wehgeschrei erheben;
Am Wege aber saß ein armes Weib –
In ihrem Schoß verblutete der Kaiser.

M e l c h t a l. So hat er nur sein frühes Grab gegraben,
Der unersättlich alles wollte haben!   2990

S t a u f f a c h e r.
Ein ungeheurer Schrecken ist im Land umher,
Gesperrt sind alle Pässe des Gebirgs,
Jedweder Stand verwahret seine Grenzen;
Die alte Zürich selbst schloß ihre Tore,
Die dreißig Jahr lang offen standen, zu,   2995
Die Mörder fürchtend und noch mehr – die Rächer.
Denn mit des Bannes Fluch bewaffnet kommt
Der Ungarn Königin, die strenge Agnes,
Die nicht die Milde kennet ihres zarten
Geschlechts, des Vaters königliches Blut   3000
Zu rächen an der Mörder ganzem Stamm,
An ihren Knechten, Kindern, Kindeskindern,
Ja an den Steinen ihrer Schlösser selbst.
Geschworen hat sie, ganze Zeugungen
Hinabzusenden in des Vaters Grab,   3005
In Blut sich wie in Maientau zu baden.

M e l c h t a l.
Weiß man, wo sich die Mörder hingeflüchtet?

S t a u f f a c h e r. Sie flohen alsbald nach vollbrachter Tat
Auf fünf verschiednen Straßen auseinander
Und trennten sich, um nie sich mehr zu sehn –   3010
Herzog Johann soll irren im Gebirge.

W a l t e r   F ü r s t. So trägt die Untat ihnen keine Frucht!
Rache trägt keine Frucht! Sich selbst ist sie
Die fürchterliche Nahrung, ihr Genuß
Ist Mord, und ihre Sättigung das Grausen.   3015

S t a u f f a c h e r.
  Den Mördern bringt die Untat nicht Gewinn;
  Wir aber brechen mit der reinen Hand
  Des blut'gen Frevels segenvolle Frucht.
  Denn einer großen Furcht sind wir entledigt:
  Gefallen ist der Freiheit größter Feind,   3020
  Und wie verlautet, wird das Zepter gehn
  Aus Habsburgs Haus zu einem andern Stamm,
  Das Reich will seine Wahlfreiheit behaupten.
W a l t e r F ü r s t und m e h r e r e.
  Vernahmt Ihr was?
S t a u f f a c h e r.   Der Graf von Luxemburg
  Ist von den mehrsten Stimmen schon bezeichnet.   3025
W a l t e r F ü r s t.
  Wohl uns, daß wir beim Reiche treu gehalten:
  Jetzt ist zu hoffen auf Gerechtigkeit!
S t a u f f a c h e r.
  Dem neuen Herrn tun tapfre Freunde not,
  Er wird uns schirmen gegen Östreichs Rache.
         (Die Landleute umarmen einander.)
         (Sigrist mit einem Reichsboten.)
S i g r i s t. Hier sind des Landes würd'ge Oberhäupter. 3030
R ö s s e l m a n n und m e h r e r e.
  Sigrist, was gibt's?
S i g r i s t.   Ein Reichsbot' bringt dies Schreiben.
A l l e *(zu Walter Fürst).*
  Erbrecht und leset.
W a l t e r F ü r s t *(liest).* »Den bescheidnen Männern
  Von Uri, Schwyz und Unterwalden bietet
  Die Königin Elsbeth Gnad' und alles Gutes.«
V i e l e S t i m m e n.
  Was will die Königin? Ihr Reich ist aus.   3035
W a l t e r F ü r s t *(liest).*
  »In ihrem großen Schmerz und Witwenleid,
  Worein der blut'ge Hinscheid ihres Herrn
  Die Königin versetzt, gedenkt sie noch
  Der alten Treu und Lieb' der Schwyzerlande.«
M e l c h t a l. In ihrem Glück hat sie das nie getan.   3040
R ö s s e l m a n n. Still! Lasset hören!
W a l t e r F ü r s t *(liest).*
  »Und sie versieht sich zu dem treuen Volk,

Daß es gerechten Abscheu werde tragen
Vor den verfluchten Tätern dieser Tat.
Darum erwartet sie von den drei Landen,   3045
Daß sie den Mördern nimmer Vorschub tun,
Vielmehr getreulich dazu helfen werden,
Sie auszuliefern in des Rächers Hand,
Der Lieb' gedenkend und der alten Gunst,
Die sie von Rudolfs Fürstenhaus empfangen.«   3050
          (Zeichen des Unwillens unter den Landleuten.)
Viele Stimmen. Der Lieb' und Gunst!
Stauffacher.
Wir haben Gunst empfangen von dem Vater,
Doch wessen rühmen wir uns von dem Sohn?
Hat er den Brief der Freiheit uns bestätigt,
Wie *vor* ihm alle Kaiser doch getan?   3055
Hat er gerichtet nach gerechtem Spruch
Und der bedrängten Unschuld Schutz verliehn?
Hat er auch nur die Boten wollen hören,
Die wir in unsrer Angst zu ihm gesendet?
Nicht eins von diesem allen hat der König   3060
An uns getan, und hätten wir nicht selbst
Uns Recht verschafft mit eigner mut'ger Hand,
Ihn rührte unsre Not nicht an – Ihm Dank?
Nicht Dank hat er gesät in diesen Tälern.
Er stand auf einem hohen Platz, er konnte   3065
Ein Vater seiner Völker sein, doch ihm
Gefiel es, nur zu sorgen für die Seinen:
Die er gemehrt hat, mögen um ihn weinen!
Walter Fürst.
Wir wollen nicht frohlocken seines Falls,
Nicht des empfangnen Bösen *jetzt* gedenken,   3070
Fern sei's von uns! Doch, daß wir *rächen* sollten
Des Königs Tod, der nie uns Gutes tat,
Und die verfolgen, die uns nie betrübten,
Das ziemt uns nicht und will uns nicht gebühren.
Die Liebe will ein freies Opfer sein;   3075
Der Tod entbindet von erzwungnen Pflichten,
– Ihm haben wir nichts weiter zu entrichten.
Melchtal. Und weint die Königin in ihrer Kammer,
Und klagt ihr wilder Schmerz den Himmel an,
So seht ihr hier ein angstbefreites Volk   3080

Zu eben diesem Himmel dankend flehen –
Wer Tränen ernten will, muß Liebe säen.
                    (*Reichsbote geht ab.*)
S t a u f f a c h e r (*zu dem Volk*).
  Wo ist der Tell? Soll er allein uns fehlen,
  Der unsrer Freiheit Stifter ist? Das Größte
  Hat er getan, das Härteste erduldet,   3085
  Kommt alle, kommt, nach seinem Haus zu wallen,
  Und rufet Heil dem Retter von uns allen.
                    (*Alle gehen ab.*)

ZWEITE SZENE

Tells Hausflur.

*Ein Feuer brennt auf dem Herd. Die offenstehende Türe
    zeigt ins Freie. Hedwig. Walter und Wilhelm.*

H e d w i g. Heut kommt der Vater. Kinder, liebe Kinder!
  Er lebt, ist frei, und wir sind frei und alles!
  Und euer Vater ist's, der 's Land gerettet.   3090
W a l t e r. Und ich bin auch dabei gewesen, Mutter!
  Mich muß man auch mit nennen. Vaters Pfeil
  Ging mir am Leben hart vorbei, und ich
  Hab nicht gezittert.
H e d w i g (*umarmt ihn*). Ja, du bist mir wieder
  Gegeben! Zweimal hab ich dich geboren!   3095
  Zweimal litt ich den Mutterschmerz um dich!
  Es ist vorbei – ich hab euch beide, beide!
  Und heute kommt der liebe Vater wieder!
                (*Ein Mönch erscheint an der Haustüre.*)
W i l h e l m.
  Sieh, Mutter, sieh – dort steht ein frommer Bruder,
  Gewiß wird er um eine Gabe flehn.   3100
H e d w i g. Führ ihn herein, damit wir ihn erquicken;
  Er fühl's, daß er ins Freudenhaus gekommen.
(*Geht hinein und kommt bald mit einem Becher wieder.*)
W i l h e l m (*zum Mönch*).
  Kommt, guter Mann. Die Mutter will Euch laben.
W a l t e r.
  Kommt, ruht Euch aus und geht gestärkt von dannen.

M ö n c h *(scheu umherblickend mit zerstörten Zügen).*
   Wo bin ich? Saget an, in welchem Lande?   3105
W a l t e r. Seid Ihr verirret, daß Ihr das nicht wißt?
   Ihr seid zu Bürglen, Herr, im Lande Uri,
   Wo man hineingeht in das Schächental.
M ö n c h *(zur Hedwig, welche zurückkommt).*
   Seid Ihr allein? Ist Euer Herr zu Hause?
H e d w i g.
   Ich erwart ihn eben – doch was ist Euch, Mann?   3110
   Ihr seht nicht aus, als ob Ihr Gutes brächtet.
   – Wer Ihr auch seid, Ihr seid bedürftig, nehmt!
   (Reicht ihm den Becher.)
M ö n c h.
   Wie auch mein lechzend Herz nach Labung schmachtet,
   Nichts rühr ich an, bis Ihr mir zugesagt –
H e d w i g.
   Berührt mein Kleid nicht, tretet mir nicht nah,   3115
   Bleibt ferne stehn, wenn ich Euch hören soll.
M ö n c h. Bei diesem Feuer, das hier gastlich lodert,
   Bei Eurer Kinder teurem Haupt, das ich
   Umfasse – *(Ergreift die Knaben.)*
H e d w i g.   Mann, was sinnet Ihr? Zurück
   Von meinen Kindern! – Ihr seid kein Mönch! Ihr seid
   Es nicht! Der Friede wohnt in diesem Kleide,   3121
   In Euren Zügen wohnt der Friede nicht.
M ö n c h. Ich bin der unglückseligste der Menschen.
H e d w i g. Das Unglück spricht gewaltig zu dem Herzen,
   Doch Euer Blick schnürt mir das Innre zu.   3125
W a l t e r *(aufspringend).*
   Mutter, der Vater! *(Eilt hinaus.)*
H e d w i g.   O mein Gott!
   (Will nach, zittert und hält sich an.)
W i l h e l m *(eilt nach).*   Der Vater!
W a l t e r *(draußen).* Da bist du wieder!
W i l h e l m *(draußen).*   Vater, lieber Vater!
T e l l *(draußen).* Da bin ich wieder – Wo ist eure Mutter?
                  (Treten herein.)
W a l t e r. Da steht sie an der Tür und kann nicht weiter,
   So zittert sie für Schrecken und für Freude.   3130
T e l l. O Hedwig, Hedwig! Mutter meiner Kinder!
   Gott hat geholfen – Uns trennt kein Tyrann mehr.

H e d w i g *(an seinem Halse).*
  O Tell! Tell! Welche Angst litt ich um dich!
          (Mönch wird aufmerksam.)
T e l l. Vergiß sie jetzt und lebe nur der Freude!
  Da bin ich wieder! Das ist meine Hütte!   3135
  Ich stehe wieder auf dem Meinigen!
W i l h e l m. Wo aber hast du deine Armbrust, Vater?
  Ich seh sie nicht.
T e l l.   Du wirst sie nie mehr sehn.
  An heil'ger Stätte ist sie aufbewahrt,
  Sie wird hinfort zu keiner Jagd mehr dienen.   3140
H e d w i g. O Tell! Tell!
  (Tritt zurück, läßt seine Hand los.)
T e l l.   Was erschreckt dich, liebes Weib?
H e d w i g.
  Wie – *wie* kommst du mir wieder? – Diese Hand
  – Darf ich sie fassen? – Diese Hand – O Gott!
T e l l *(herzlich und mutig).*
  Hat euch verteidigt und das Land gerettet,
  Ich darf sie frei hinauf zum Himmel heben.   3145
  (Mönch macht eine rasche Bewegung, er erblickt ihn.)
  Wer ist der Bruder hier?
H e d w i g.   Ach ich vergaß ihn!
  Sprich *du* mit ihm, mir graut in seiner Nähe.
M ö n c h *(tritt näher).*
  Seid Ihr der Tell, durch den der Landvogt fiel?
T e l l. Der bin ich, ich verberg es keinem Menschen.
M ö n c h. Ihr seid der Tell! Ach, es ist Gottes Hand,   3150
  Die unter Euer Dach mich hat geführt.
T e l l *(mißt ihn mit den Augen).*
  Ihr seid kein Mönch! Wer seid Ihr?
M ö n c h.   Ihr erschlugt
  Den Landvogt, der Euch Böses tat – Auch ich
  Hab einen Feind erschlagen, der mir Recht
  Versagte – Er war Euer Feind wie meiner –   3155
  Ich hab das Land von ihm befreit.
T e l l *(zurückfahrend).*   Ihr seid –
  Entsetzen! – Kinder! Kinder, geht hinein.
  Geh, liebes Weib! Geh! Geh! – Unglücklicher,
  Ihr wäret –
H e d w i g. Gott, wer ist es?

T e l l.   Frage nicht!
  Fort! Fort! Die Kinder dürfen es nicht hören.   3160
  Geh aus dem Hause – Weit hinweg – Du darfst
  Nicht unter *einem* Dach mit diesem wohnen.
H e d w i g. Weh mir, was ist das? Kommt!
                    (Geht mit den Kindern.)
T e l l *(zu dem Mönch).*   Ihr seid der Herzog
  Von Österreich – Ihr seid's! Ihr habt den Kaiser
  Erschlagen, Euern Ohm und Herrn.
J o h a n n e s   P a r r i c i d a.   Er war   3165
  Der Räuber meines Erbes.
T e l l.   Euern Ohm
  Erschlagen, Euern Kaiser! Und Euch trägt
  Die Erde noch! Euch leuchtet noch die Sonne!
P a r r i c i d a. Tell, hört mich, eh' Ihr –
T e l l.   Von dem Blute triefend
  Des Vatermordes und des Kaisermords,   3170
  Wagst du zu treten in mein reines Haus,
  Du wagst's, dein Antlitz einem guten Menschen
  Zu zeigen und das Gastrecht zu begehren?
P a r r i c i d a.
  Bei Euch hofft' ich Barmherzigkeit zu finden,
  Auch Ihr nahmt Rach' an Euerm Feind.
T e l l.   Unglücklicher!
  Darfst du der Ehrsucht blut'ge Schuld vermengen   3176
  Mit der gerechten Notwehr eines Vaters?
  Hast du der Kinder liebes Haupt verteidigt?
  Des Herdes Heiligtum beschützt? das Schrecklichste,
  Das Letzte von den Deinen abgewehrt?   3180
  – Zum Himmel heb ich meine reinen Hände,
  Verfluche dich und deine Tat – Gerächt
  Hab ich die heilige Natur, die *du*
  Geschändet – Nichts teil ich mit dir – Gemordet
  Hast *du*, ich hab mein Teuerstes verteidigt.   3185
P a r r i c i d a.
  Ihr stoßt mich von Euch, trostlos, in Verzweiflung?
T e l l. Mich faßt ein Grausen, da ich mit dir rede.
  Fort! Wandle deine fürchterliche Straße,
  Laß rein die Hütte, wo die Unschuld wohnt.
P a r r i c i d a *(wendet sich zu gehn).*
  So *kann* ich, und so *will* ich nicht mehr leben!   3190

T e l l. Und doch erbarmt mich deiner – Gott des Himmels!
So jung, von solchem adeligen Stamm,
Der Enkel Rudolfs, meines Herrn und Kaisers,
Als Mörder flüchtig, hier an meiner Schwelle,
Des armen Mannes, flehend und verzweifelnd – 3195
(Verhüllt sich das Gesicht.)
P a r r i c i d a.
O wenn Ihr weinen könnt, laßt mein Geschick
Euch jammern; es ist fürchterlich – Ich bin
Ein Fürst – ich *war's* – ich konnte glücklich werden,
Wenn ich der Wünsche Ungeduld bezwang.
Der Neid zernagte mir das Herz – Ich sah 3200
Die Jugend meines Vetters Leopold
Gekrönt mit Ehre und mit Land belohnt,
Und mich, der gleiches Alters mit ihm war,
In sklavischer Unmündigkeit gehalten –
T e l l. Unglücklicher, wohl kannte dich dein Ohm, 3205
Da er dir Land und Leute weigerte!
Du selbst mit rascher, wilder Wahnsinnstat
Rechtfertigst furchtbar seinen weisen Schluß.
– Wo sind die blut'gen Helfer deines Mords?
P a r r i c i d a. Wohin die Rachegeister sie geführt. 3210
Ich sah sie seit der Unglückstat nicht wieder.
T e l l. Weißt du, daß dich die Acht verfolgt, daß du
Dem Freund verboten und dem Feind erlaubt?
P a r r i c i d a. Darum vermeid ich alle offne Straßen,
An keine Hütte wag ich anzupochen – 3215
Der Wüste kehr ich meine Schritte zu,
Mein eignes Schrecknis irr ich durch die Berge
Und fahre schaudernd vor mir selbst zurück,
Zeigt mir ein Bach mein unglückselig Bild.
O wenn Ihr Mitleid fühlt und Menschlichkeit – 3220
(Fällt vor ihm nieder.)
T e l l *(abgewendet)*. Steht auf! Steht auf!
P a r r i c i d a.
Nicht, bis Ihr mir die Hand gereicht zur Hilfe.
T e l l. Kann ich Euch helfen? Kann's ein Mensch der Sünde?
Doch stehet auf – Was Ihr auch Gräßliches
Verübt – Ihr seid ein Mensch – Ich bin es auch – 3225
Vom Tell soll keiner ungetröstet scheiden –
Was ich vermag, das will ich tun.

P a r r i c i d a *(aufspringend und seine Hand mit Heftigkeit*
  ergreifend).   O Tell!
  Ihr rettet meine Seele von Verzweiflung.
T e l l. Laßt meine Hand los – Ihr müßt fort. Hier könnt
  Ihr unentdeckt nicht bleiben, könnt entdeckt   3230
  Auf Schutz nicht rechnen – Wo gedenkt Ihr hin?
  Wo hofft Ihr Ruh' zu finden?
P a r r i c i d a.   Weiß ich's? Ach!
T e l l. Hört, was mir Gott ins Herz gibt – Ihr müßt fort
  Ins Land Italien, nach Sankt Peters Stadt;
  Dort werft Ihr Euch dem Papst zu Füßen, beichtet   3235
  Ihm Eure Schuld und löset Eure Seele.
P a r r i c i d a. Wird er mich nicht dem Rächer überliefern?
T e l l. Was er Euch tut, das nehmet an von Gott.
P a r r i c i d a. Wie komm ich in das unbekannte Land?
  Ich bin des Wegs nicht kundig, wage nicht   3240
  Zu Wanderern die Schritte zu gesellen.
T e l l. Den Weg will ich Euch nennen, merket wohl!
  Ihr steigt hinauf, dem Strom der Reuß entgegen,
  Die wildes Laufes von dem Berge stürzt –
P a r r i c i d a *(erschrickt).*
  Seh ich die Reuß? Sie floß bei meiner Tat.   3245
T e l l. Am Abgrund geht der Weg, und viele Kreuze
  Bezeichnen ihn, errichtet zum Gedächtnis
  Der Wanderer, die die Lawine begraben.
P a r r i c i d a.
  Ich fürchte nicht die Schrecken der Natur,
  Wenn ich des Herzens wilde Qualen zähme.   3250
T e l l. Vor jedem Kreuze fallet hin und büßet
  Mit heißen Reuetränen Eure Schuld –
  Und seid Ihr glücklich durch die Schreckensstraße,
  Sendet der Berg nicht seine Windeswehen
  Auf Euch herab von dem beeisten Joch,   3255
  So kommt Ihr auf die Brücke, welche stäubet.
  Wenn sie nicht einbricht unter Eurer Schuld,
  Wenn Ihr sie glücklich hinter Euch gelassen,
  So reißt ein schwarzes Felsentor sich auf –
  Kein Tag hat's noch erhellt – da geht Ihr durch,   3260
  Es führt Euch ein in ein heitres Tal der Freude –
  Doch schnellen Schritts müßt Ihr vorübereilen,
  Ihr dürft nicht weilen, wo die Ruhe wohnt.

P a r r i c i d a. O Rudolf! Rudolf! Königlicher Ahn!
    So zieht dein Enkel ein auf deines Reiches Boden!   3265
T e l l. So immer steigend, kommt Ihr auf die Höhen
    Des Gotthards, wo die ew'gen Seen sind,
    Die von des Himmels Strömen selbst sich füllen.
    Dort nehmt Ihr Abschied von der deutschen Erde,
    Und muntern Laufs führt Euch ein andrer Strom   3270
    Ins Land Italien hinab, Euch das gelobte –
(Man hört den Kuhreihen von vielen Alphörnern geblasen.)
    Ich höre Stimmen. Fort!
H e d w i g *(eilt herein).*   Wo bist du, Tell?
    Der Vater kommt! Es nahn in frohem Zug
    Die Eidgenossen alle –
P a r r i c i d a *(verhüllt sich).*   Wehe mir!
    Ich darf nicht weilen bei den Glücklichen.   3275
T e l l. Geh, liebes Weib. Erfrische diesen Mann,
    Belad ihn reich mit Gaben, denn sein Weg
    Ist weit, und keine Herberg' findet er.
    Eile! Sie nahn.
H e d w i g.   Wer ist es?
T e l l.   Forsche nicht!
    Und wenn er geht, so wende deine Augen,   3280
    Daß sie nicht sehen, welchen Weg er wandelt!
*(Parricida geht auf den Tell zu mit einer raschen Bewegung,
dieser aber bedeutet ihn mit der Hand und geht. Wenn beide
zu verschiedenen Seiten abgegangen, verändert sich der
           Schauplatz, und man sieht in der*

LETZTEN SZENE

*den ganzen Talgrund vor Tells Wohnung, nebst den An-
höhen, welche ihn einschließen, mit Landleuten besetzt,
welche sich zu einem Ganzen gruppieren. Andre kommen
über einen hohen Steg, der über den Schächen führt, gezogen. Walter Fürst mit den beiden Knaben, Melchtal und
Stauffacher kommen vorwärts, andre drängen nach; wie
Tell heraustritt, empfangen ihn alle mit lautem Frohlocken.)*

A l l e. Es lebe Tell! der Schütz und der Erretter!
*(Indem sich die vordersten um den Tell drängen und ihn
umarmen, erscheinen noch Rudenz und Berta, jener die*

Landleute, diese die Hedwig umarmend. Die Musik vom
Berge begleitet diese stumme Szene. Wenn sie geendigt, tritt
Berta in die Mitte des Volks.)

B e r t a. Landleute! Eidgenossen! Nehmt mich auf
  In Euern Bund, die erste Glückliche,
  Die Schutz gefunden in der Freiheit Land.   3285
  In Eure tapfre Hand leg ich mein Recht –
  Wollt Ihr als Eure Bürgerin mich schützen?

L a n d l e u t e. Das wollen wir mit Gut und Blut.

B e r t a.   Wohlan!
  So reich ich diesem Jüngling meine Rechte,
  Die freie Schweizerin dem freien Mann!   3290

R u d e n z. Und frei erklär ich alle meine Knechte.

(Indem die Musik von neuem rasch einfällt, fällt der Vor-
hang.)